# 365 bajek
## na każdy dzień

Tytuł oryginału: Le cada noche 365 Cuentos
Rysunki: Magda y Vernet
Teksty: Marcela Grez, María José Valero/zespół Susaety
Projekt okładki: Natalia Rodriguez

© SUSAETA EDICIONES, S.A.
© for the Polish translation by Urszula Ługowska (str. 1–144), Joanna Gaca (str. 145–191)
© 2016 for the Polish edition by Firma Księgarska Olesiejuk spółka z ograniczoną odpowiedzialnością Sp.j.
Wydawnictwo Olesiejuk, an imprint of Firma Księgarska Olesiejuk spółka z ograniczoną odpowiedzialnością Sp.j.

ISBN 978-83-274-4682-4

Firma Księgarska Olesiejuk Spółka z ograniczoną odpowiedzialnością Sp.j.
05-850 Ożarów Mazowiecki
ul. Poznańska 91
wydawnictwo@olesiejuk.pl
www.wydawnictwo-olesiejuk.pl

dystrybucja: www.olesiejuk.pl

Druk: DRUK-INTRO S.A.

 tyczeń

## Samochód za osła

### 1 Osiołek, mój przyjaciel

Był sobie mały Michałek. Pewnego razu
podlewał pomidory w swoim ogródku,
ale myślami był gdzie indziej –
w sklepie pana Pluma. Już od tygodnia
codziennie spoglądał na wystawę,
gdzie stał drogi, czerwony
samochód. I nagle, gdy tak podlewał
pomidory, zdało mu się, że słyszy
głos właściciela sklepu:

– Nie rozumiem, dlaczego sam
wykonujesz prace polowe, skoro masz tego
osła. Całymi dniami tylko wącha kwiatki, podczas
gdy ty pracujesz. Poza tym pamiętaj też, że to zwierzę
udźwignie niewielki ładunek.

– Nie chcę tak myśleć – powiedział sobie Michałek. – Osiołek
jest moim przyjacielem, towarzyszy mi, gdy zbieram
plony, wozi mnie, gdy wybieram się na targ, żeby
sprzedać owoce i warzywa z mojego sadu. Ale z drugiej
strony... Ach, te nowoczesne auta, piękne i szybkie! Mieć
takie jedno, to byłoby cudownie! Mógłbym podróżować
i zwiedzić świat...

Gdy chłopiec tak rozmyślał o samochodzie, osiołek
szczęśliwy i beztroski wąchał kwiatki i rozmawiał
z biedronkami i ptaszkami.

# Styczeń

## 2 Dylemat Michałka

Po wielu dniach słuchania tego, co mówił pan Plum, Michałka ogarnęły wątpliwości:

– A może pan Plum ma rację? Osiołek jest rzeczywiście niewielki i nie uradzi zbyt wiele. Za to samochód... Na przykład ten ze sklepu, czerwony, taki piękny! Gdybym go sobie kupił, mógłbym elegancko się ubrać, na przykład w niedzielny garnitur. Zabrałbym może przyjaciółki Klarę i Beatkę na przejażdżkę. Ale przecież... osiołek jest ze mną całe życie i bardzo mnie kocha...

## 3 Samochód za osła

W końcu Michałek podjął decyzję i zamienił swojego osiołka na lśniący, czerwony samochód ze sklepu pana Pluma. Zadowolony z siebie i wystrojony w elegancki garnitur, udał się w towarzystwie swoich przyjaciółek Klary i Beatki do miasta, by przy uroczystym podwieczorku świętować nowy zakup. Jechali razem, tak głośno śpiewając i śmiejąc się, że nawet nie zauważyli przywiązanego do płotu osiołka, który patrzył na nich pełen żalu. Biedne zwierzątko było tak smutne, że z jego oczu popłynęły ogromne łzy.

## 4. Nie wszystko złoto, co się świeci

Przejechali prawie połowę drogi, gdy nagle auto zaczęło wydawać dziwaczne odgłosy. Z silnika dochodziło jakieś parskanie i prychanie, jakby siedział w nim koń!

– Czemu on wydaje te dziwne dźwięki? – spytała Klara.

– To pewnie dlatego, że jest nowy, musi się przyzwyczaić do podjeżdżania pod górę – odparł Michałek.

– Brzmi to, jakby siedziało w środku stado dzikich bestii – powiedziała Beatka.

I gdy tylko to rzekła, coś zazgrzytało, zaskrzypiało i czerwony samochodzik gwałtownie szarpnął i zatrzymał się.

## 5. Mały wypadek

– Co się stało? – zapytała Klara.

– Dlaczego stoimy? – zawołała Beatka.

– Tak naprawdę, to nie wiem – odpowiedział Michałek. – Ale zaraz się dowiem i wszystko naprawię. I wziąwszy skrzynkę z narzędziami, wgramolił się pod samochód, bo widział, że w podobnych sytuacjach tak robi Józek, mechanik z warsztatu. Jednak, mimo najlepszych chęci, jedyne co zdziałał, to odkręcił śrubki, które potoczyły się we wszystkie strony.

 ## Liczy się tylko przyjaźń

Mały Michałek udał się do sklepu i poprosił, żeby do wielkiego pudła na prezenty zapakować mu dwadzieścia cztery najpyszniejsze, największe i najbardziej soczyste marchewki. Potem zabrał swój pakunek i pobiegł do zagrody. Kiedy osiołek go ujrzał, tak się uradował, że łzy szczęścia, które mu popłynęły, utworzyły na ziemi wielką kałużę.

– Mój kochany osiołku! – zawołał chłopiec. – Wybacz mi, że zostawiłem cię samego. Teraz już wiem, że przyjaźń jest w życiu najważniejsza!

## Ali Baba i czterdziestu rozbójników

 ## Ubogi drwal

Ali Baba, chociaż był jeszcze dzieckiem, ciężko pracował przy wyrębie lasu. Pewnego dnia, gdy odpoczywał oparty o pień, ujrzał bandę czterdziestu rozbójników, którzy szli, niosąc spory ładunek. Chłopiec schował się za dużym kamieniem, skąd widział, jak ich herszt stanął na wprost ogromnego głazu i zawołał:

– Sezamie, otwórz się!

Po czym skała się rozsunęła, ukazując wnętrze ciemnej pieczary, do której weszli wszyscy zbóje.

## Skarb czterdziestu rozbójników

Ali Baba zaczekał, aż zbójcy odejdą, wyszedł z ukrycia, zbliżył się do tajemniczej skały i zawołał:

– Sezamie, otwórz się!

I skała otworzyła się, a Ali Baba wszedł do środka i oniemiał z zachwytu, ujrzawszy zgromadzone bogactwa. „Zdaje się, że te skarby zostały skradzione przez tych zbójów – pomyślał chłopak. – Podobno temu, co okrada złodzieja, jest wybaczone, nie zawadzi więc, żebym wziął sobie jeden worek. Zresztą, tyle tu skarbów, że nawet nikt się nie spostrzeże". I wielce zadowolony, wrócił do domu z workiem pełnym kosztowności.

## Zachłanny brat Ali Baby

Ali Baba pognał co sił do domu swojego brata, żeby pokazać mu, co wyniósł z jaskini, i opowiedzieć, w jaki sposób zdobył skarb. Ale jego brat, który był wielkim skąpcem, kazał chłopcu zaprowadzić się do groty i wyjawić otwierające ją zaklęcie.

– Nie bierz dużo – poradził mu Ali Baba – bo rozbójnicy się zorientują i zaczną cię szukać.

– Wszystko mi jedno – odparł chciwiec – wezmę tyle, ile zdołam, a jutro wrócę po resztę. Wyczyszczę pieczarę do cna!

I objuczywszy muły pustymi worami, wyruszył na swą niechybną zgubę.

# Styczeń

## 10 Chciwość nie popłaca

Kiedy brat Ali Baby napełniał swoje wory kosztownościami, pojawiło się czterdziestu rozbójników ze strasznym hersztem na czele. W lot pojęli, że do ich kryjówki zakradł się złodziej chytrzejszy od nich samych i że właśnie wynosi ich złoto. Wpadli w szał. Złapali go za odzienie i spuścili mu straszliwe lanie. Kiedy stwierdzili, że wystarczy już tego bicia, wzięli go na spytki, a podły człowiek ciężko wysapał:

– To wszystko wina mojego młodszego brata, Ali Baby, to on was wyśledził. To on zabrał stąd całą masę drogich kamieni i złotych monet.

## 11 Zbójecki podstęp

Ali Baba zamieszkał teraz w pobliżu domu swojego brata. Przywódca rozbójników wywiedział się o tym i pewnego dnia pojawił się w domu Ali Baby, udając przypadkiem przejeżdżającego tamtędy kupca.

– Słuchaj, młodzieńcze – zwrócił się do Ali Baby
– czy byłbyś tak miły i pozwolił mi u siebie przenocować? Muszę dostarczyć te beczki z olejem do stolicy, a to aż dwa dni drogi stąd, a moje muły padają już ze zmęczenia.

– Oczywiście, że tak, panie kupcze
– odparł chłopak.

8

## 12 Dzielna Aisza

A w domu Ali Baby była służąca Aisza, która właśnie podlewała kwiaty w ogrodzie. Nagle usłyszała głosy dochodzące z beczek.

– Co za dziwy! – zdumiała się służąca. – Pierwszy raz słyszę gadającą beczkę oleju! W tym musi być jakiś podstęp...

Ukryła się za drzewkiem pomarańczowym, skąd mogła dokładnie słyszeć głosy.

– A to głupiec z tego Ali Baby – odezwał się jakiś głos.

– Zajada teraz kolację i nawet się nie spodziewa, że my kryjemy się tu i czekamy, aż smacznie zaśnie, żeby obciąć mu głowę!

## 13 Przywódca rozbójników zdemaskowany

Dzielna Aisza rozpoznała straszliwych zbójów i natychmiast pobiegła do jadalni, gdzie Ali Baba wraz z hersztem bandy spożywali wspaniałą kolację.

– Ali Babo! Nie jedz ani kromki chleba więcej z tym łotrem! – zawołała Aisza. – Trzeba ci wiedzieć, że to bandyta, herszt czterdziestu rozbójników i że w beczkach, w których miał być olej, cała jego zgraja tylko czeka, aż pójdziesz spać, żeby obciąć ci głowę! Ale nie martw się, wszystkich czterdziestu już usmażyłam, polewając ich wrzątkiem!

# Styczeń

## 14. Szczęśliwe zakończenie

Ali Baba z pomocą dzielnej Aiszy związał grubą liną podstępnego herszta, który wpadł w wielką złość, że tak łatwo dał się złapać młokosowi. Gdy już go mocniej skrępowali, wezwali stróżów prawa, aby ci dopilnowali, żeby bandyta oddał prawowitym właścicielom cały zagrabiony majątek. Sam Ali Baba, jako że był bardzo przyzwoitym obywatelem, zwrócił część skarbu, którą sobie wcześniej przywłaszczył. Na koniec upomniał się też o swojego brata, którego zbóje uwięzili w jaskini.

## Alicja w Krainie Czarów

 **Sen Alicji**

Pewnego dnia po odrobieniu lekcji Alicja wyszła do ogrodu.
– Ależ jestem zmęczona, jak nigdy w życiu – pomyślała. – Nie zawadzi przysiąść na chwilkę...
W tym momencie dojrzała rodzinę ślimaków przechadzającą się z wolna po ściętym pniu. Usadowiła się wygodnie naprzeciwko, żeby móc je lepiej widzieć, i nawet nie spostrzegła, kiedy słodko zasnęła.

## 16 Biały królik

Zbudził ją głosik czegoś, co szło, bez przerwy gadając:
– Wielkie nieba! Spóźnię się, na pewno się spóźnię! Jest już po dwunastej i przyjęcie pewnie już się zaczęło, na pewno przyjęcie już się zaczęło!
– Jakie przyjęcie, biały króliczku?
– przerwała mu Alicja.
– Daj spokój, moja droga, nie mam czasu, bardzo się spieszę! – odparł królik.
I nie racząc nawet się pożegnać, szybko się oddalił.

## 17 Dziura w ziemi

– Coś podobnego! Czy kto widział kiedy tak niewychowanego królika?! Jeśli myśli, że puszczę mu płazem takie zachowanie, to się myli! Pójdę za nim i zobaczę, co to za przyjęcie.
I Alicja bez wahania podążyła za białym królikiem. Cały czas śledziła wzrokiem białe uszy tajemniczego zwierzęcia, bo tylko one wystawały z zarośli ogrodu, lecz w pewnym momencie straciła je z oczu. Przyspieszyła więc kroku i nagle przez nieuwagę wpadła do wykopanego w ziemi dołu.
– Och, Alicjo! – zawołała sama do siebie, lecąc w dół. – Nabijesz sobie wielkiego guza przez to, że nie patrzysz, gdzie stąpasz!

# Styczeń

## 18 Cudowny ogród

Alicja spadała i spadała i nagle pomyślała sobie, że jej upadek nie będzie taki groźny. Czuła, jakby otworzył się nad nią spadochron, dzięki któremu powoli opada. Wreszcie wylądowała w ogrodzie pełnym fantastycznych kwiatów mieniących się wszystkimi kolorami tęczy.

– Dzień dobry, dziewczynko! – przywitał ją jeden z kwiatów. – Jak się tu dostałaś?

– Szłam za białym królikiem, który gadał bez przerwy o jakimś przyjęciu. Czy wiecie coś o tym?

– Oczywiście! – odpowiedział jej kwiat. – Chodzi zapewne o przyjęcie u Szalonego Kapelusznika. Idź tą drogą prosto przed siebie, a trafisz do niego na podwieczorek.

## 19 Wszystkiego najlepszego z okazji nieurodzin!

Po chwili dziewczynka ujrzała stół i niziutkiego jegomościa w olbrzymim kapeluszu, który częstował wszystkich herbatą. Gdy zbliżyła się do nich, szary zajączek od razu posadził ją przy stole.

– Rozgość się, moja droga – zwrócił się do niej jegomość w kapeluszu.

– Świętujemy właśnie moje nieurodziny.

– Przykro mi, ale nie mogę zostać. Wszystkiego najlepszego z okazji nieurodzin, panie Kapeluszniku. I pobiegła poszukać białego królika.

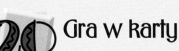

## 20 Gra w karty

Na szczęście wszyscy i wszystko umiało mówić w tym cudownym ogrodzie: kwiaty, motyle, ślimaki, a nawet robaczki świętojańskie. Alicja pytała ich o białego królika.

– Idź dalej tą ścieżką wysypaną zielonym żwirkiem, a wyjdziesz na łąkę, gdzie stać będą czerwone proporce i olbrzymie talie kart. On tam na pewno będzie – powiedziała ważka.

– Całkiem bystra ta ważka! – zdumiała się Alicja.

– Rzeczywiście, biały królik jest na łące i biega jak szalony!.

I dziewczynka rzuciła się w pogoń za nim pomiędzy wielkie karty. Kiery, piki i trefle były poustawiane niczym domki.

## 21 Królowa Kier

I tak wciąż goniąc białego królika, Alicja dotarła do miejsca, w którym odbywała się niezwykła gra. Żołnierze przebrani za karty stali tak sztywni i wyprężeni na baczność, że wydawali się kamiennymi posągami. Była tam też pani w koronie, która wrzeszczała wniebogłosy, a przy niej biały króliczek pełen trwogi.

– Kto to taki, ta pani? – zapytała Alicja małą muszkę, tak malutką, że prawie jej nie było widać.

– Ciii... lepiej, żeby cię nie usłyszała. To Królowa Kier, ona może uczynić wszystko, ona może nawet skazać cię na...

# Styczeń

## 22 Oj, rety, rety!

Alicja fiknęła porządnego kozła, po czym usłyszała,
jak królowa krzyczy przeraźliwie:
– Tę dziewczynkę skazuję na śmierć!
Natychmiast ściąć jej głowę!
I w tym momencie Alicja nabiła sobie tak
solidnego guza, że aż się ocknęła. Spostrzegła,
że siedzi obok pnia drzewa, wśród
znajomych ślimaków i dżdżownic.
Rozejrzała się wokoło i poznała swój
ogród i pień, na którym usnęła. Biały
królik, szary zajączek, Szalony
Kapelusznik i Królowa Kier – wszyscy
byli tylko snem...

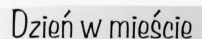

## Dzień w mieście

## 23 Czarująca starsza pani

W pewnej małej wiosce otoczonej zielonymi wzgórzami
mieszkała sobie babcia Frania. Nie była to taka zwyczajna babcia,
bo nie miała ani wnuków, ani dzieci. Była jednak tak czarująca,
a w dodatku okrąglutka, siwiuteńka i w okularach, że wszyscy
w okolicy nazywali ją pieszczotliwie babcią. Całe
życie spędziła w swoim gospodarstwie,
opiekując się troskliwie gromadką
zwierzątek, i nigdy nie tęskniła za innym
losem, chociaż... Nie chciała opuszczać tego
świata, nie zaznawszy życia w mieście!

## 24. Przygotowania do podróży

Pewnego dnia babcia wstała, nakarmiła wszystkie zwierzątka, po czym rzekła do nich:

– Kochani, musicie wiedzieć, że nie wytrzymam ani dnia dłużej, jeśli nie wybierzemy się zobaczyć, jak jest w wielkim mieście. Pospolici z nas wszystkich wieśniacy, ale nie może tak być, a zatem zaraz was uczeszę, odświętnie ubiorę i jedziemy do stolicy! Wiecie, co ludzie powiadają? Że miasto jest czymś cudownym i że każdy powinien je kiedyś zobaczyć!

## 25. W drogę do wielkiej metropolii!

Wyruszyła więc babcia w drogę do miasta z wiklinowym koszykiem w ręku, a za nią procesja kurczaków, królików, wiewiórek. Szedł nawet jeden żółw, a pochód zamykał wierny pies Pingo, radośnie obszczekując gromadę. Wszystkie przydrożne kwiaty machały im listkami na pożegnanie. Płakały łzami rosy, żałując, że nie mogą iść z nimi. Ale jakżeby miały pójść? Kwiaty mają korzenie, które trzymają je mocno w ziemi i nie pozwalają im ruszyć się z miejsca.

# Styczeń

## 26 W wielkim mieście

Zaraz na przedmieściach uderzył ich potworny hałas, który stawał się głośniejszy i głośniejszy, w miarę jak zbliżali się do centrum miasta. Piiii! Buuuuuum! Buu, buu!

– O Boże, cóż to za straszliwe ryki! – zawołała babcia. – Jak żyję, nie słyszałam takiego harmideru. Toż to okropność! Skoro te wszystkie samochody tak pędzą i żaden się nie zatrzymuje, to nigdy nie przejdziemy przez ulicę. Kochani! Przygotujcie się, jak policzę do trzech, przechodzimy.

Biedna babcia po prostu nie wiedziała o istnieniu przejść dla pieszych i sygnalizacji świetlnej.

## 27 Do odważnych świat należy

Raz..., dwa..., trzy! Chwyciwszy się więc za łapki, wbiegli na ulicę, a samochody zaczęły strasznie trąbić. Rozwścieczeni kierowcy zaczęli krzyczeć na nietypową gromadkę, bo babcia, kurczaki, żółw, wiewiórki, króliki i pies wtargnęli na jezdnię, którą kierowcy uważają za swoją wyłączną własność.

– Dobrze, już dobrze! – wołała babcia.
– My też mamy prawo do chodzenia po ulicy! Samochody nie są panami tego świata!

## 28 Odpoczynek w parku

Zmęczona długim chodzeniem babcia rzekła wreszcie do swych zwierzątek:

– To miasto jest takie wielkie i nikt nikogo tu nie zna. Wszyscy biegają, spieszą się, a wszędzie jeżdżą samochody.

– Hau, hau – odpowiedział Pingo.

– Piii, piii – powiedziały kurczaki.

– No właśnie – przytaknęła babcia.

– Tyle już czasu chodzimy, że bolą mnie nogi. Hej, patrzcie tam! Prawdziwy ogród z trawnikiem i kwiatami. Nawet jest fontanna! Chodźmy tam, zdejmę choć na chwilę te chodaki.

## 29 Miasto nie dla nas

Babcia boso przechadzała się po trawniku, wiewiórki właziły na sosny, kurczaki skubały kwiaty, Pingo fikał koziołki, nawet żółw wspaniale się bawił, jedząc liście żywopłotu. Tak hasali sobie w najlepsze, że nawet nie spostrzegli, jak podszedł do nich strażnik parkowy z blankietem do wypisywania mandatów.

– Proszę pani – bardzo poważnym tonem zwrócił się do babci – ten park jest ozdobą naszego miasta i deptanie trawnika jest surowo wzbronione.

# Styczeń

## 30 Wszędzie dobrze, ale w domu najlepiej!

Po powrocie na wieś babcia i zwierzątka wspominali dzień spędzony w mieście i wszystkim wydał się on straszny. Nie mogli pojąć, jak można tak żyć wśród ulic zastawionych samochodami, wśród obcych sobie ludzi, którzy nawet nie pozdrawiają się wzajemnie, w miejscu, gdzie jest tylko malutki kawałeczek ogrodu, a najmniejsze stąpnięcie po nim kosztuje ogromną sumę pieniędzy.

– Tutaj w domu jest nam dobrze, prawda, moje kochane zwierzaczki? Tu oddychamy świeżym powietrzem i swobodą, ludzie nas znają i kochają, a wy możecie zrywać kwiaty, włazić na drzewa, tarzać się po trawniku bez obawy, że jakiś strażnik wlepi wam mandat.

## Śnieżka i Różyczka

### 31 Dwie sierotki

Na szczycie śnieżnej góry żyły raz sobie dwie dziewczynki. Nie miały ani rodziców, ani braci, ani dziadków, ani w ogóle nikogo. Były zupełnie same na tym świecie, a mimo to bardzo szczęśliwe. Jedna miała na imię Śnieżka, bo jej włosy były jaśniutkie, a cera jak płatki białych róż, a druga – Różyczka, bo jej włosy miały czerwony kolor, a jej policzki zawsze były rumiane.

# Luty

## 1. Niespodziewany gość

Dwie siostrzyczki szykowały właśnie kolację, kiedy nagle ktoś zapukał do drzwi.

– Któż to może być o tej porze? – zdziwiła się Śnieżka.

– O tej czy o każdej innej porze, siostrzyczko, tutaj na górę nikt nigdy nie wchodzi – odparła Różyczka. – Ale otwórzmy mu, kimkolwiek by był, bo nie wolno zostawiać nikogo na pastwę losu w taką śnieżycę.

Otworzyły więc drzwi i ujrzały w nich ogromnego białego niedźwiedzia dygocącego z zimna.

## 2. Gadający miś

Niedźwiedź wszedł do domku i powiedział:

– Dobry wieczór. Jestem z bieguna północnego i chyba się zgubiłem.

– Oj, chyba tak – odpowiedziała Śnieżka. – Nasze góry leżą bardzo daleko od bieguna.

– Pozwolicie mi zostać z wami i być waszym przyjacielem, aż nadejdzie wiosna? –zapytał niedźwiedź. – Będę wam przynosił pszczeli miodek na śniadanie.

Siostrzyczki pościeliły więc łóżko dla misia, żeby było mu ciepło w nocy, i spędziły z nim całą zimę.

# Luty

## 3  Krasnoludek wędkarz

Pewnego dnia Śnieżka przechadzała się nad brzegiem rzeki, gdy
nagle posłyszała straszliwe wrzaski:
— Ratunku! Pomocy! Niech ktoś mi pomoże!
Dziewczynka rozejrzała się i zobaczyła krasnoludka
w małej łódce. Miał długą, białą brodę, w którą wczepiła
się ryba.
— No, pomóż mi, dziewczynko! Czy nie widzisz, że ta ryba
zaraz pozbawi mnie brody?!
Śnieżka wyciągnęła z kieszeni nożyce, ciachnęła
kosmyk brody krasnala i uwolniła go od ryby.
— Głupia dziewczyno! Co cię podkusiło, żeby ciąć
moją wspaniałą brodę! — krzyknął na to krasnoludek.
Śnieżka wystraszona rzuciła się do ucieczki i biegła, aż
znikła z oczu niemiłemu i źle wychowanemu karłowi.

## 4  Wściekły karzeł

Innego dnia znów Różyczka usłyszała w lesie okropne krzyki
i zdziwiona znalazła krasnoludka z długą, białą brodą, który
podskakiwał nad zwalonym pniem.
— Ratunku! Szybko! Broda mi się zaczepiła
i nie mogę się ruszyć! Dziewczynka bez
zastanowienia wyciągnęła z kieszeni
nożyczki i ucięła karzełkowi koniuszek
brody, uwalniając go z opresji.
— Głupia dziewczyno! — krzyknął
rozsierdzony krasnoludek. — Jak cię złapię,
to mnie popamiętasz!
Różyczka uciekała do domku.

## 5 Skarb krasnoludka

Kolejnym razem dziewczynki szukały grzybów, gdy nagle
pod kamieniem znalazły wielki kufer pełen złotych monet, pereł
i drogich kamieni. Wkrótce pojawił się
niesympatyczny karzeł z kijem w ręku
i wygrażając nim dziewczynkom,
zakrzyknął:
– Głupie dziewczyny, złodziejki jedne!
To tego szukałyście, nieprawdaż?
Chciałyście dobrać się do mojego złota,
ale dostaniecie figę z makiem, bo nie
dam wam tknąć nawet perełki! Precz,
wynocha stąd!

## 6 Przyjaciel miś przychodzi na ratunek

Krasnoludek ruszył w pogoń za dziewczynkami,
wymachując lagą, i kiedy już je doganiał, pojawił się
biały niedźwiedź. Stanął na tylnych łapach przed
wstrętnym karłem, wystawiając wielkie
kły i pokazując pazury, i wyzwał go na
śmiertelny pojedynek. Krasnoludek ze
strachu padł przed niedźwiedziem na
kolana i błagał o wybaczenie. Wreszcie
wykorzystał chwilę nieuwagi
niedźwiedzia i pędem rzucił się
do ucieczki.

# Luty

 ## Niespodzianka

Siostrzyczki ściskały misia pełne wdzięczności, że ocalił je przed okrutnym krasnalem, gdy nagle... niedźwiedzia skóra zsunęła się na ziemię i ukazał się im młody książę strojny w złote szaty. Śnieżka i Różyczka oszołomione tym widokiem stały nieruchomo.

– Nie lękajcie się, moje drogie przyjaciółki – powiedział do nich książę. – Ten zły skrzat rzucił na mnie zaklęcie i zamienił mnie w niedźwiedzia, żeby móc zawładnąć bogactwem mojego królestwa. Ten kufer, który znalazłyście, to tylko niewielka część tego, co mi zagrabił. Zdjęłyście ze mnie czar dzięki swojej życzliwości. Odtąd będziemy mieszkać razem w moim pałacu.

## Śnieżna dama

## Wdowa i wdowiec

Pewna wdowa, która miała córkę, postanowiła ponownie wyjść za mąż. Jej wybrankiem został wdowiec, który też miał córkę. Obydwie dziewczynki były w tym samym wieku, ale różniły się bardzo. Córka wdowca była piękna i dobra, córka wdowy zaś brzydka i zła. Pewnego pechowego dnia ojciec Rity spadł z konia i osierocił biedną córeczkę. Od tego czasu macocha kazała jej wykonywać wszystkie prace w domu.

# Zaczarowana studnia

Rita musiała całymi dniami prząść na wrzecionie. Przędła tak
i przędła, aż paluszki zaczęły jej krwawić i zakrwawiły wrzeciono.
By obmyć ręce, poszła do stojącej na podwórzu studni.
Gdy jednak nachyliła się, przędza i wrzeciono wypadły
jej z rąk. Dziewczynka poczęła gorzko płakać, a jej
łzy spadały w głąb studni. Nagle na lustrze wody
ukazało się blade oblicze pięknej pani.
– Kim jesteś? – zapytała dziewczynka.
– Jestem śnieżną damą i przybywam tu, żeby ci
pomóc – odpowiedziało odbicie.

# Rita wygnana z domu

Gdy opowiedziała swojej macosze o tym, co się
stało, ta wpadła we wściekłość i zawołała:
– Jesteś próżną, głupią dziewczyną, co nie
zasługuje nawet na kawałek chleba!
Musisz wiedzieć, że to wrzeciono, które
wpadło ci do wody, kosztowało
masę pieniędzy! Zrobisz wszystko,
żeby wymigać się od roboty,
a takich tu nie potrzebujemy.
Wynocha, fora ze dwora, nie chcę
cię więcej widzieć, teraz radź
sobie sama!

# Luty

## 11 Piec chlebowy

Biedna Rita szła drogą i płakała, gdy nagle posłyszała rozpaczliwe krzyki:

– Pomocy! Ratunku! Wyciągnij nas stąd!

Rozejrzała się wokół i na rozstaju dróg ujrzała piec pełen piekących się bochenków chleba.

– To wy wołałyście o pomoc? – zapytała.

– Tak! Tak! Wyciągnij nas stąd, bo się zwęglimy!

Rita wyciągnęła bochenki z pieca i troskliwie ułożyła je przy drodze.

– Dziękujemy ci bardzo. Ponieważ jesteś taka dobra, nigdy nie zabraknie ci chleba na stole – powiedziały wdzięczne bochenki.

## 12 Jabłka mówiące ludzkim głosem

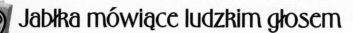

Rita szła dalej, rozmyślając o tym, co powiedziały jej bochenki chleba. Nagle usłyszała wołające ją dziewczęce głosiki:

– Hej, dziewczynko! Podejdź tutaj! Prosimy do nas!

Dziewczynka poszła tam, skąd dochodziły głosy i zobaczyła drzewo obwieszone jabłkami.

– Czy to wy wołałyście? – zapytała.

– Tak, to my. Dzień dobry! – przywitały ją jabłka. – Potrząśnij, prosimy, drzewkiem, bo połamiemy gałęzie.

Rita potrząsnęła więc jabłonką i wszystkie owoce pospadały na ziemię. Zebrała je w jedno miejsce i ruszyła w dalszą drogę.

 ## 13 Śnieżna dama

W końcu Rita doszła do domku zbudowanego z kawałków lodu.
Długo stała i podziwiała go, aż tu nagle otworzyły
się drzwi i pojawiła się w nich piękna pani
o włosach białych jak śnieg. Spojrzała
na dziewczynkę i powiedziała:
– Dzień dobry, Rito! Czy mnie pamiętasz?
– Oczywiście! To ty jesteś tą panią ze
studni!
– Tą samą. Teraz zostaniesz w moim
domu. Będziesz musiała tylko ścielić mi
łóżko i tak wstrząsać pościel, żeby latało
pierze. Kiedy w moim domu wiruje biały
puch, na świecie pada śnieg.

 ## 14 Powrót do domu

Rita była bardzo szczęśliwa, mieszkając u śnieżnej damy.
Ale pewnego dnia dziewczynka się zasmuciła.
– Co ci jest, moja mała? Czemu jesteś taka milcząca i poważna? –
zapytała pani.
– Tęsknię za domem. Wiem, że wcale mnie tam
nie kochają, ale to jednak mój dom, a macocha
i siostra są moją jedyną rodziną.
– Dobre dziewczynki takie jak ty kochają swoje
rodziny, tak być powinno – i zaprowadziła Ritę
do olbrzymich drzwi.
Gdy dziewczynka przez nie przeszła, spadł na
nią deszcz złota, który pokrył ją od stóp do głów.

# Luty

## 15 Zgubna zawiść

Kiedy macocha i siostra zobaczyły ogromny skarb Rity, powitały ją radośnie i serdecznie. Jednak siostrę męczyła zazdrość i stale pytała Ritę, jak dojść do srebrnego domku. Kiedy wreszcie się dowiedziała, wyruszyła, by zdobyć skarb jeszcze większy niż przyniosła Rita. Po drodze nie podeszła jednak do chlebowego pieca, nie strząsnęła jabłek z drzewa, a w srebrnym domku nie chciała pomagać śnieżnej damie. Postąpiła bardzo źle i gdy wychodziła ze srebrnego domku przez wielkie wrota, spadło na nią tyle smoły, że długo, długo nie mogła jej z siebie zmyć.

## Dzień za miastem

## 16 Tosia i Tosiek

Mamo, mamo, czy możemy jechać za miasto wypróbować nasz samochodzik, który dostaliśmy od Świętego Mikołaja?! Mamusiu, zgódź się, będziemy jechać powoli... – któregoś dnia prosili mamę Tosia i Tosiek. – Och, nie zawracajcie mi głowy! – odpowiadała im wciąż kobieta.

Jednak dzieci były tak uparte i tak jej się naprzykrzały, że w końcu pozwoliła im jechać. Uradowane dzieci zabrały kanapki i wyruszyły w drogę z zamiarem spędzenia pięknego dnia za miastem.

PT- 10

## 17 Podwieczorek w lesie

Gdy dotarli na leśną polanę, zatrzymali samochód i wyciągnęli
z bagażnika koszyk z prowiantem.
– To będzie wspaniały piknik! – zakrzyknęła
radośnie Tosia.
– Ach, jak dobrze być dzieckiem! – dodał Tosiek.
Rodzeństwo usiadło i rozstawiło na kocu kanapki
i termos z mlekiem. Jedli ze smakiem, rozkoszując się
pięknem przyrody, gdy nagle zerwał się silny wiatr.
Zrobiło się zimno, a dzieci zatrzęsły się lekko.
– Oj! Chyba pogoda się popsuła. Nie sądzisz,
Tośku?
– Oj, tak. Rozpalmy ognisko, Tosiu, to będzie
nam cieplej.

## 18 Ogień w lesie

Są rzeczy, których nie powinny robić dzieci.
Jedną z nich jest właśnie zabawa z ogniem,
a już na pewno, kiedy jest się w lesie.
Tosia i Tosiek, choć pozostawili
po sobie czyściutką polanę, zapomnieli
jednak o czymś bardzo, ale to bardzo
ważnym – nie zgasili ogniska
i pojechali do domu! Wiatr nasilił się,
a iskierki powyskakiwały z ogniska
i zamieniły się w płomienie, które paliły się
teraz w krzakach, na drzewach i w suchych
liściach na ziemi.

# Luty

## 19 Zwierzątka strażacy

– Ojoj! Co za nieszczęście! – krzyknęła polna myszka – Co się z nami stanie?

– Zginiemy! – zawołał ślimaczek z przerażeniem w głosie.

– Nie zginiemy, wcale a wcale! – ogłosiła waleczna jak lew wiewiórka. – Sformujemy nasz własny oddział strażacki!

Odważna wiewiórka stanęła na czele załogi i przemierzyła cały las, alarmując wszystkie zwierzątka. Pomagały jej przy tym powietrzne ptaki. W mgnieniu oka powstała brygada strażaków i wszyscy razem zabrali się do gaszenia lasu.

## 20 Las woła o ratunek

Żółwie dźwigały na swych skorupach wiadra z wodą i przekazywały dalej wiewiórkom i zającom. Żaby skakały z jednego miejsca na drugie, wskazując bezpieczną drogę wśród płomieni. Ptaki śpiewały bojowe pieśni, żeby utrzymać walecznego ducha pracujących ciężko strażaków. Motyle prezentowały zaś swe piękne kolory, żeby zmęczone dymem oczy mogły odpocząć. Aż miło było patrzeć, jak wszystkie zwierzątka dokładały sił, żeby ocallić miejsce, w którym żyły.

## 21 Dzieci, na pomoc!

Tosia i Tosiek spokojnie szli do samochodu i chcieli już wracać do domu, gdy nagle wybiegł im naprzeciw mały szczurek i bardzo zagniewany wołał:

– Wy niedobre dzieci! Zostawiłyście rozpalone ognisko w lesie i wszystko teraz płonie!
– Nie bójcie się, już spieszymy wam z pomocą – odrzekła Tosia. – Chodź, Tośku!
I dzieci popędziły do pobliskiej gospody, chwyciły więcej wiader i rzuciły się na pomoc zwierzątkom.

## 22 Nieocenione pszczoły

Dzieciom było bardzo przykro z powodu pożaru, który wywołały. Wszystkie drzewa, wszystkie norki, w których mieszkały zwierzątka, wszystkie kwiaty... Z ich winy wszystko to teraz spłonie.
Wkrótce w powietrzu dało się słyszeć brzęczenie, jakby milion maleńkich samolocików leciało ponad płomieniami. Wszyscy spojrzeli w niebo i ze zdumieniem zobaczyli mnóstwo pszczół niosących liście wypełnione wodą.
Pożyteczne owady jednocześnie wylały ją na ogień, który zgasł w jednej chwili.

# Luty

## 23 Wszystko naprawione

– Co moglibyśmy zrobić, żeby znów rósł tu piękny las, tak jak przedtem? – zapytał Tosiek swoją siostrę.

– Myślę, że wiem, co powinniśmy zrobić
– odrzekła Tosia. – Za wszystkie nasze oszczędności kupimy sadzonki jodeł i świerków i z powrotem zalesimy ten teren. Poprosimy mamę i tatę, żeby dali nam pieniądze przeznaczone na urodzinowe prezenty dla nas i za nie kupimy kwiaty. Zbudujemy też gniazda dla ptaków i oczyścimy te drzewa, które ogień oszczędził. W ten sposób będziemy mogli odkupić naszą winę.

## Specjalista od przeszczepów

## 24 Postrach cudownej wioski

Pewna wioska była tak piękna, że ludzie mówili o niej „cudowna wioska". Mieszkał tam jednak bardzo zły chłopiec. Na imię miał Pawełek. Widząc Pawełka, wszyscy mieszkańcy wioski przechodzili na drugą stronę ulicy, babcie zamykały się w domach, matki nie zostawiały małych dzieci bez opieki w obawie, że Pawełek je skrzywdzi, a wszystkie zwierzęta uciekały, aż się kurzyło, gdy tylko posłyszały jego kroki.

## 25 W poszukiwaniu doktora Przeszczepa

Gdy aniołki patrzyły na chłopca, zrozumiały, że z jego sercem musi dziać się coś niedobrego. Halus i Milenus, bo tak miały na imię aniołki, rozmawiały ze sobą, jak temu zaradzić.

– Musimy znaleźć kogoś, kto mógłby wymienić mu serce – powiedział Milenus. – Jesteśmy w końcu jego aniołami stróżami i powinniśmy zrobić wszystko, co możliwe, żeby stał się dobry.

– Mam pewien pomysł – odparł Halus. – Trzeba mu zrobić przeszczep serca!

## 26 Pawełek na badaniu

Pawełek poszedł do lekarza, ale tak się bał, że aż trzęsły mu się kolana. Kazano mu zdjąć ubranie i usiąść na taborecie. Wtedy doktor Przeszczep wziął magiczną lupę, zbliżył ją do piersi Pawełka i... zdumiał się ogromnie tym, co zobaczył.

– Nie ma się co dziwić, że ten chłopiec to zakała wioski! – zawołał lekarz. – Jego serce jest całe skurczone, bo siedzi na nim wielki pająk i owija je pajęczyną. Został już tylko kawałeczek serca nieowinięty pajęczą siecią. Trzeba operować! Szybko!

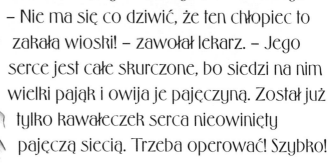

# Luty

## 27 Pomiary serca

Halus i Milenus poprosili o pomoc innych aniołów stróżów z ochotniczych brygad i wszyscy razem zajęli się przygotowaniami do operacji.

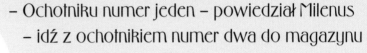

– Ochotniku numer jeden – powiedział Milenus – idź z ochotnikiem numer dwa do magazynu serc. Przynieście kilka różnych, żeby wybrać odpowiedni rozmiar dla Pawełka.

– A wy, ochotnicy trzeci i czwarty – poprosił Halus –postarajcie się, żeby Pawełkowi przeszedł ten okropny strach, który nie pozwala mu nawet oddychać.

– A tobie, chłopcze, trzeba wiedzieć – rzekł Milenus do Pawełka – że strach w przypadku przeszczepów jest wielce niekorzystny.

## 28 Ochotnicy, do dzieła!

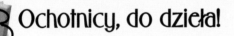

Czterech aniołów stróżów z ochotniczej brygady przyfrunęło do wykonania swoich zadań. Wzięli się do pracy i uwijali się niczym pszczółki robotnice. Mieli ze sobą wszystko, czego doktor potrzebował. Przynieśli całe mnóstwo serc: pięknych, czerwonych i nowiutkich. Były serca we wszystkich rozmiarach, żeby nie było kłopotu w czasie operacji. Zdobyli też słój anielskiej transfuzji, który wzmocniłby przeszczep Pawełka. Nie chcieli przecież, żeby straszliwy pająk znów opanował serce chłopca.

 # Na sali operacyjnej

– Zaczynamy! – zakrzyknął doktor ubrany w kitel i maskę.
Dobra pielęgniarka podobna do aniołka podała lekarzowi piękne
i błyszczące serce dokładnie w takim rozmiarze, jaki był potrzebny
chłopcu. Niebieski lekarz spojrzał na czubek skalpela, którym miał
dokonać operacji, i polecił zapalić lampę nad stołem operacyjnym.
– Kładź się, chłopcze! – nakazał chirurg Pawełkowi. – I nie rób takiej
przestraszonej miny, bo nie ma się co bać.
Lecz mimo to chłopiec był przerażony.

# Marzec

## 1. Udało się!

Wyciągnięcie złego serca i zastąpienie go nowym dostarczonym z Nieba udało się wspaniale, a na efekty przeszczepu nie trzeba było długo czekać. W okolicy błąkał się czarny kot, który był bardzo zły i nie pozwalał nikomu się do siebie zbliżyć. Ale kiedy Pawełek wyszedł ze szpitala, zobaczył kota i zawołał go, to o dziwo zły zwierzaczek jednym susem wskoczył mu na ręce i począł doń się tulić! Widząc to, wszyscy bardzo się wzruszyli. Na twarzy dobrego doktora pojawił się uśmiech i nie schodził z niej jeszcze przez wiele dni.

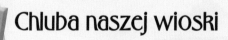

## 2. Chluba naszej wioski

Odtąd Pawełek stał się innym chłopcem – dobrze wychowanym, czułym i uczynnym. Poza tym odkrył w sobie talent. Zaczął opiekować się zwierzątkami, którym dolegała jakaś choroba lub które ucierpiały w wypadku. Ze wszystkich pobliskich wsi przynoszono mu króliki, psy, kury i inne zwierzęta, żeby je leczył. Zyskał taką sławę, że przyjeżdżali do niego nawet z wielkich miast. Odtąd Pawełek stał się chlubą cudownej wioski.

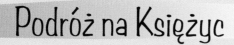

# Podróż na Księżyc

## 3 Wesołe miasteczko

W pewnej pięknej i niewielkiej mieścinie było wesołe miasteczko, jak to zazwyczaj bywa w pięknych i niewielkich mieścinach. Nie odznaczało się niczym wyjątkowym, jednak dla tutejszych ludzi ich wesołe miasteczko było najlepsze na świecie. Wspaniale się tam bawili i starsi i młodsi. Dzieci najbardziej lubiły małą kolejkę wymalowaną we wszystkie kolory tęczy, którą prowadził siwy staruszek. Miał on jedno marzenie – chciał dożyć podróży swoim pociągiem na Księżyc.

## 4 Latająca kolejka

W pewną sobotę brama wesołego miasteczka otworzyła się jak we wszystkie soboty o dziesiątej rano. Tego dnia przybyła jednak nowa atrakcja, więc dzieci najpierw udały się do niej. Dopiero po jakimś czasie zbliżyły się do stacyjki, z której zawsze odjeżdżał kolorowy pociąg. Okazało się jednak, że gdzieś zniknęły tory. Nagle jedno z dzieci zawołało, pokazując na niebo:

– Patrzcie, patrzcie! Pociąg lata!

Wszyscy stanęli zdumieni. Była to prawda! Kolejka leciała w górę i zmierzała prościutko na Księżyc.

## 5 Lot na Księżyc

Staruszek czuł się najszczęśliwszym człowiekiem na świecie. Nie mógł uwierzyć, jaki cud mu się zdarzył. Kiedy tak leciał, kolorowe baloniki, które zdobiły kolejkę, zdawały się mówić:

– Lecimy na Księżyc! Ej, wy tam, na dole, nie chcielibyście polecieć z nami?

Staruszek patrzył w dół i widział dachy domów swojego miasta. A gdy spojrzał w górę, zobaczył przecudne oblicze Księżyca uśmiechającego się przyjaźnie i z pięknym kwiatkiem na głowie.

## 6 Gwiezdny kolejarz

W górę, w górę! Mały kolorowy pociąg coraz wyżej wznosił się w przestworza, aż do gwiazd. Jakie to było cudowne! Gdy zbliżył się do nich, jedna przywitała go:

– Dzień dobry, panu! Dokąd pan prowadzi ten śliczny pociąg?

– Lecę na Księżyc, panienko gwiazdko.

– Zatem życzę szczęśliwej podróży.

I gdy tak gawędził sobie z gwiazdami, świat w dole stawał się coraz mniejszy i mniejszy.

# Księżycowy Księżyc

– Brawo! Hurra! Hip, hip, hurra! Jestem już na Księżycu! – zakrzyknął staruszek kosmonauta, nie posiadając się ze szczęścia.

I była to najprawdziwsza prawda – stąpał po Księżycu. Ale najpiękniejsze było to, co widział przed sobą – twarz Księżyca, okrągła, uśmiechnięta, z wielkimi oczami i piegami na nosie. Gdy się lepiej przyjrzał, okazało się, że to, co wydawało mu się z początku piegami, to były kratery. Oczywiście, księżycowe kratery!

– Panie Księżycu – zapytał – czy byłby pan łaskaw pozwolić mi na objechanie swojej powierzchni moją kolejką?

# Mieszkańcy Księżyca

Po niedługim czasie dziadek spotkał tam mnóstwo dzieci. Wszystkie były ubrane kolorowo, a na głowach miały szpiczaste czapeczki, jakie zazwyczaj noszą krasnoludki w bajkach. Stanęły gromadką koło pociągu i patrzyły zdumione, bo nie widziały nigdy niczego podobnego.

– Kim wy jesteście? – zapytał dziadek. – Jak to się stało, że jesteście tutaj?

– My jesteśmy Selenici – odpowiedziało jedno z nich. – Tak nazywa się mieszkańców Księżyca. Moglibyśmy na chwilkę wsiąść do twojego pociągu?

– Oczywiście, że tak!

## 9 Wielka radość na Księżycu

Mali Selenici krzyczeli z radości i podskakiwali wesoło za każdym razem, kiedy pociąg napotykał księżycowe wyboje. Księżyc też był zadowolony, że objeżdżali go tak całego dookoła. Niekiedy kolejka, sunąc po powierzchni Księżyca, łaskotała go. Śmiał się wtedy i trochę trząsł, co niezwykle bawiło małych Selenitów. Pan Księżyc patrzył oczarowany, jak staruszek prowadzi lokomotywę pociągu i robi wciąż nowe okrążenia.

## 10 Powrót na Ziemię

Z oddali słychać już było dziecięce głosy:

– Dziadziu, wybacz nam, że przybyliśmy tak późno! Zatrzymaliśmy się przy tej nowej atrakcji, którą sprowadzono dziś do wesołego miasteczka, ale nie myśl, że zapomnieliśmy o tobie. Nigdy nie zapomnimy o kolorowej kolejce!

Głosy dochodziły maszynistę z bardzo daleka. Wkrótce staruszek usłyszał jasny i donośny dźwięk dzwonka pociągu. Otworzył oczy, które widać zamknął z powodu pyłu księżycowego, i zorientował się, że zasnął, czekając na przybycie dzieci.

# Mały czarodziej

## 11 Dlaczego czasem ludzie są brzydcy?

Ta historia wydarzyła się w pewnym kraju, w którym wszystko było bardzo piękne. Wszystko poza jego mieszkańcami, którzy byli bardzo brzydcy, wręcz paskudni. Żył tam też jeden chłopiec czarodziej, który nic z tego nie rozumiał.

– Dlaczego? – pytał. – Dlaczego w miejscu tak ładnym muszą mieszkać osoby tak brzydkie? A może jakaś zła wróżka pozazdrościła nam krajobrazów i postanowiła dać nam odrażających mieszkańców, żebyśmy nie uważali się za najlepszych na świecie...?

I dalej rozmyślał i wciąż zachodził w głowę.

## 12 Magiczne księgi

Chłopiec czarodziej wypytał wszystkich czarodziejów, którzy byli na świecie, jaką magię należy zastosować, żeby ludzie stali się ładni. Ale wszyscy magicy co do jednego odradzali mu czarowanie ludzi.

– Słuchaj, malcze – rzekł najbardziej doświadczony czarodziej świata – Każda osoba ma wygląd taki, jaki dał jej Bóg, i tylko On może go zmienić. Porzuć lepiej swoje pragnienie, żeby cały świat dopasować do idei piękna, i nie zajmuj się rzeczami, które mogą okazać się niebezpieczne.

## 13 Twórca wywarów

Mały czarodziej obłożył się czarodziejskimi księgami, postawił olbrzymi kocioł na ogniu i zaczął pracować bez chwili wytchnienia. Robił wywary i mikstury, takie i owakie, i w końcu... postanowił dodać ostatni składnik.

– Jeszcze tylko dodam sok z myszy i będzie koniec roboty – powiedział bardzo zadowolony.

Spędził wiele dni, pracując nad wywarem, a wszystko z czystej miłości do swoich rodaków, którzy bez wątpienia zasługiwali na to, by być chociaż trochę ładniejsi.

– Teraz się umyję, bo ubrudziłem się dymem z kociołka.

## 14 Zaginiony czarodziej

Mały czarodziej napełnił wielką drewnianą balię gorącą wodą, dodał do niej mydła, żeby zrobiło się dużo piany, i wszedł do wody pełnej bąbelków.

– Och! Co za rozkosz! Gorąca kąpiel mogłaby ożywić nawet skamieniałe dinozaury.

Aż tu naraz... plum! I zniknął, została tylko pusta balia.

Cała łazienka wypełniła się bąbelkami, a w jednym z nich, większym niż pozostałe, znajdował się jakby siedzący ludzik. Nagle bąbelek pękł i wyturlał się z niego czarodziej, ale bardzo malutki, mniejszy niż by można sobie wyobrazić.

## 15 Zaczarowany czarodziej

A wszystko to dlatego, że myszy z całego kraju poprzysięgły
zemstę, kiedy zobaczyły, jak mały czarodziej dodaje mysi sok
do swojej mikstury. Bardzo je to zagniewało. Wlały więc
kilka kropel jakiegoś syropu do kąpieli czarodzieja.
A że była to mikstura mająca zmniejszać zbyt
dużych ludzi, czarodziej stał się tyci, tyciutki.
– Teraz – rzekła jedna z myszek – jesteś zdany
na naszą łaskę i niełaskę. Ale zamiast zrobić z tobą
to, co z nami robią koty, wsadzimy cię do tego
słoja. My też chcemy robić
eksperymenty!

## 16 Więzień w słoju

Był to malutki słoiczek, ale czarodziej był jeszcze mniejszy i musiał
wejść do środka. Poniżony przez myszy i trzęsący się z zimna
musiał słuchać zwierzątek, które były teraz dla
niego olbrzymimi stworzeniami.
– Wielkie nieba! – szlochał. – Po cóż mi było
gotować te magiczne wywary? Przez te
wynalazki stałem się mysim
niewolnikiem. A ostrzegał mnie przecież
największy z czarodziejów, że te sprawy
mogą być niebezpieczne, ale nie
słuchałem go!

## 17 Mysi eksperyment

Więzień nie spuszczał wzroku z myszy. Wszystko, co robiły, wydawało mu się bardzo podejrzane. Jedne przeglądały strony magicznych ksiąg, inne wynosiły i przynosiły maleńkie probówki i słoiczki, jeszcze inne ucierały coś w moździerzu. Czarodziej nie wiedział zupełnie, co począć.

– Muszę odpokutować za wyciskanie soku z myszy – mówił do siebie zrozpaczony. – A chciałem przecież dobrze, żeby wszyscy byli wysocy, silni i piękni. A jaki tego skutek? Zostałem uwięziony przez myszy!

Całe to zajście było wielką tragedią dla małego czarodzieja. Nie wiedział jednak, że ma być głównym składnikiem jakiejś papki, którą myszy chciały przyrządzić.

## 18 Cudowne ocalenie

Mały czarodziej był bardzo, ale to bardzo przerażony. Wkrótce myszy miały wrzucić go do wielkiego kociołka i posłużyć się nim do zrobienia jakiegoś okropieństwa. Nawet dokładnie nie wiedziały, do czego ta mikstura miałaby im służyć. I właśnie wtedy, gdy szykowały się do kolejnego etapu przygotowania swojego wywaru, czar przestał działać i mały czarodziej uniknął straszliwego losu. W ostatniej chwili uratował się od zmielenia na papkę. Całe to zamieszanie nauczyło go pewnej bardzo ważnej rzeczy: nigdy nie należy zmienić tego, co stworzył Bóg.

# Kucharz

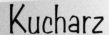

## 19 Niechlujny kucharz

W pewnej nadmorskiej wiosce, w której stało tylko siedem domków, była jedna restauracja, a w niej tylko jeden kucharz. Nazywał się Kik. Przyrządzał on pewną potrawę, która bardzo wszystkim smakowała, a którą on sam nazywał „ryż à la fleja". Goście nie wiedzieli, że Kik nie patroszy krewetek, ślimaków nie obmywa ze śluzu i nie myje warzyw. Nigdy też nie widzieli jego kuchni, która była tak brudna, że szczury przychodziły do niej codziennie na śniadanie, obiad i kolację.

## 20 Rosół z piórami

Pewnego dnia Kik postanowił przyrządzić gotowanego kurczaka jako danie główne. Ale nie dość, że był z niego brudas, to jeszcze straszny leń. Żeby więc oszczędzić sobie pracy z oskubaniem kurczaka, wrzucił go całego do garnka, a potem rosół pełen piór, piachu i śmieci przecedził przez sito i ugotował na nim sos do potrawki. W tym czasie nie tylko szczury bawiły w jego kuchni, ale także muchy, pająki, robaki, a nawet osy, które założyły tam gniazdo. Najdziwniejsze w tym wszystkim było to, że klienci nie protestowali. Być może mimo wszystko dania były smaczne?!

## 21 Pospolite sałatki

W lecie, gdy było ciepło, goście często zamawiali u Kika sałatki. Jednakże nasz kucharz nie miał ochoty długo ich przygotowywać, więc raz w tygodniu kroił ogórki, pomidory i sałatę i nie zadając sobie trudu, by je umyć, wrzucał wszystkie do beczki, z której potem je wyciągał, ilekroć ktoś zamawiał sałatkę. Dodawał też do nich nadziewane oliwki, gdyż nie wymagało to od niego niczego poza otwarciem puszki. Nie obchodziło go też, że oliwki już od dawna były przeterminowane. Pewnego dnia, gdy podawał jedną ze swoich sałatek, sam zobaczył małe robaczki ruszające się na talerzu!

## 22 Bunt robaczków

Pewnego dnia Kik rozpakowywał tort, żeby podać go na stół, gdy nagle wyskoczyła z niego glista i gwizdnęła przeciągle, aż ze swoich kryjówek powyłazili wszyscy mieszkańcy kuchni.

– Lubisz bałagan i brud, nieprawdaż? – rzekła do Kika obrażona glista. – Nie przeszkadza mi, że podajesz gościom okropności do jedzenia. Chodzi o to, że pewnego dnia rozprawią się z nami w okamgnieniu i nadejdzie nasz koniec, a to nam się wcale a wcale nie podoba. Dość już mamy twoich świństw i brudu. Ukarzemy cię za to, niechlujny kucharzu!

## 23 Kara dla Kika

W kuchni zaroiło się od szczurów, robaków, os i innych stworzeń. Naznosili oni Kikowi zgniłych jabłek, starych kanapek z mortadelą, zepsutych czekoladek, spleśniałego chleba, gnijącej sałaty i całą masę świństw, których nie można sobie nawet wyobrazić. Było tego tak dużo, że mogłoby to wypełnić całą spiżarnię sporej restauracji.

– A teraz wszystko zjesz – powiedziała glista złośliwie – żebyś wiedział wreszcie, jak smakują twoje wspaniałe potrawy, które podajesz biednym ludziom!

## 24 Jesz, jesz, aż pękniesz

– Proszę was, litości! – jęczał błagalnie Kik. – Naprawdę, już więcej nie mogę!

A zjadł już: dwa kurczaki, wazę przypalonej zupy, siedem zepsutych sardynek, smażone krewetki sprzed trzech lat, jedenaście robaczywych jabłek, tuzin nieświeżych ciastek i wiele innych świństw. Kik siedzący na kuchennym taborecie męczył się strasznie i pocił jak mysz, bo rzeczywiście nie mieściła mu się już w brzuchu ani okruszynka. Żołądek kucharza flejtucha pęczniał więc i pęczniał coraz bardziej niczym balon, który wkrótce pęknie.

#  Marzec

## 25 Chory Kikuś

Kik był już tak nadęty, że robaczki zaczęły niepokoić się stanem jego zdrowia.

– Chwileczkę! – powiedział jeden ze szczurów. – Nie możemy już nic więcej mu dawać, bo jak dalej będziemy zmuszać go do jedzenia tych okropności, to całkiem się zatruje. Teraz myślę, że powinien wypić przynajmniej trzy buteleczki oleju rycynowego.

– A co to takiego? – zapytał mały pajączek, który nie wiedział jeszcze prawie nic o świecie.

– Lekarstwo, które smakuje okropnie, ale likwiduje wzdęcia – powiedział mu wszystko-wiedzący szczur.

## 26 Szczęśliwe zakończenie

Robaczki kuchenne dały Kikowi lekcję, której nigdy nie zapomniał. Nauczka była na tyle dotkliwa, że odtąd Kik nie robił już żadnych świństw do jedzenia. Jego kuchnia była tak czysta, że można było jeść wprost z podłogi. Nauczył się wspaniale przygotowywać potrawy i wygrywał wiele konkursów w dziedzinie gastronomii. Letniskowa wioska zaczęła wypełniać się ludźmi, którzy przybywali tam tylko po to, żeby skosztować znakomitych dań, jakie przyrządzał Kik. A robaczki, które tak okrutnie doświadczyły naszego kucharza, żyły sobie po królewsku w specjalnych pomieszczeniach urządzonych przez Kika... oczywiście z dala od kuchni!

# Kot w butach

## 27 Spadek dla najmłodszego syna

Był sobie raz pewien stary młynarz, który umierając, zostawił swemu najmłodszemu synowi burego kota w spadku.

– I co ja pocznę w życiu, kiedy wszystko, co mam, cały mój majątek, to tylko bury kot? – biadał młynarczyk.

– Mój panie! Mój panie! – usłyszał nagle.

– Któż to nazywa mnie „panem"?

– Ja, mój panie – odpowiedział kot.

– Ty? Kot, który mówi? Niemożliwe!

– Oczywiście, że możliwe! I powiem ci jeszcze, że jeśli tylko sprawisz mi buty, to dopiero zobaczysz, co potrafię!

## 28 Kot swat

Szedł sobie kot po polu zadowolony z nowych butów, gdy nagle znalazł pusty worek.

– To jest to, czego mi teraz trzeba – rzekł kot, wziął sobie worek i poszedł dalej.

Szedł i rozmyślał, jak tu uczynić swego pana bogaczem.

– Doskonale! Znalazłem rozwiązanie

– muszę ożenić mojego pana z córką króla!

# Marzec

## 29 Kot myśliwy

Kot w butach szedł polem, na którym po żniwach nie zostało już nic poza jedną marchewką i paroma kłosami zboża. Wszystko, co znalazł, zapakował do wora i udał się do pobliskiego lasu. Wyszukał drzewo z dziuplą, położył obok torbę z marchewką i kłosami zboża, a sam wlazł do dziupli i czekał. Siedział tam cichuteńko, aż w końcu tłusty zając, który tamtędy przechodził, nie wiedząc o podstępie, wlazł prosto do wora skuszony marchewką. Jednym szybkim ruchem bury kocur zacisnął worek, a niemądry zając został uwięziony w środku.

## 30 Kot przed obliczem króla

Kot z zającem w worku stanął u wrót królewskiego pałacu.

– Strażniku – powiedział kot władczym tonem – prowadź mnie do króla.

Strażnik zaprowadził go więc do sali tronowej.

– Wasza Królewska Mość – pospieszył z wyjaśnieniami kot – przybywam od mego pana, który przysyła Ci tego oto zająca, jednego z tysięcy biegających po jego włościach.

– Jak nazywa się twój pan? – zapytał król.

– Markiz Karabas! – odpowiedział dumnie kot.

# 31 Pomysłowy kot

Po opuszczeniu królewskiego pałacu kot wrócił do swego pana.

– Panie, powinieneś ożenić się z córką króla.

– A niby jak człowiek taki jak ja może ożenić się z księżniczką?

– Dzisiaj punktualnie o dwunastej rozbierz się i wejdź do rzeki.

Cokolwiek by się działo, nic nie mów – polecił mu kot.

Chłopak nie rozumiał, co planuje chytre zwierzę, ale posłuchał go, rozebrał się i zanurzył w rzece.

# Kwiecień

## 1 Kot spryciarz

Podczas swojej wizyty w królewskim pałacu kot dowiedział się, że każdego dnia w samo południe król przejeżdża złotą karetą przez most nad rzeką. Kot schował się więc za drzewem i oczekiwał pojawienia się monarchy. Gdy tylko spostrzegł konie ciągnące karetę, szybko wybiegł z kryjówki i zaczął krzyczeć wniebogłosy:

– Ratunku! Pomocy! Mojego pana, markiza Karabasa napadli zbóje! Ukradli mu wszystkie szaty, gdy się kąpał! Niech ktoś nam pomoże! Ratunku!

## 2 Młynarczyk markizem

Posłyszawszy wrzaski przebiegłego kota, król nakazał zatrzymać orszak, wyszedł ze swojej karety i stanął nad rzeką. Kiedy zobaczył gołego młynarczyka w wodzie, zaczął wydawać rozkazy swoim sługom:

– Pospieszcie do pałacu i powiedzcie garderobianym, żeby wydali wam najokazalsze szaty. Trzeba ubrać markiza Karabasa.

Po niedługim czasie młodzieniec był już wystrojony w królewskie szaty, które znakomicie na nim leżały. Wyglądał jak prawdziwy markiz!

## 3 Ależ była uczta!

I wszyscy w znakomitych humorach pojechali do pałacu. Król, widząc, jak pięknie wygląda młodzieniec, był przekonany, że to markiz Karabas we własnej osobie. Władca postanowił więc ożenić go ze swoją jedyną córką, Floryndą, zwłaszcza że markiz był właścicielem rozlicznych ziem, jak mu opowiadał niezwykły zwierzak. I tak kot w butach dzięki swojemu sprytowi zdołał uczynić młynarczyka bogatym i szczęśliwym księciem. Z upływem lat chłopak stał się królem, a kota w butach mianował szambelanem.

# Śliczny chłopczyk

## 4 Najbardziej rozpieszczany chłopiec w mieście

Odkąd tylko Jaś się urodził, cała jego rodzina wciąż powtarzała:
– Patrzcie, jakie śliczne dziecko! Nigdy piękniejszego nie było.
A jak miał pięć lat, słyszał tylko wkoło:
– Cóż za piękny chłopiec! W życiu nie widzieliśmy ładniejszego!
I słuchając ciągle tych zachwytów, uwierzył w końcu, że jest najpiękniejszy na świecie. Aż pewnego dnia zadzwoniła do niego koleżanka, żeby zaprosić go na swoje urodziny.

# Kwiecień

## 5 Wystrojony jak ta lala

Jaś musiał poświęcić przynajmniej dwie godziny, żeby się wystroić. Ubranie zmieniał kilka razy, czesał się i przeczesywał, przeglądał się długo w lustrze i w końcu, kiedy był już gotowy, udał się do koleżanki. Nie omieszkał rzecz jasna wziąć ze sobą prezentu urodzinowego zapakowanego w ozdobny papier. Zabrał też bukiet kwiatów. Towarzyszył mu pies. I choć to może śmieszne, piesek był nie mniej wyelegantowany niż jego właściciel. Poza tym należał on do jakiejś wielce szlachetnej rasy, więc Jaś uznał za stosowne zabrać pupila.

## 6 Urodzinowy prezent

Jaś przekroczył próg domu Reginy, uroczej dziewczynki, która jak wszystkie inne była oczarowana jego śliczną twarzyczką.
– Wszystkiego najlepszego, Reginko – przywitał ją chłopiec, bo był dobrze wychowany. – Przyniosłem ci prezent urodzinowy. Jest o wiele lepszy niż pozostałe, które dotąd dostałaś. Kupiłem ci go w niezwykłym sklepie. Patrz, nawet opakowany jest w papier najwyższej klasy. Przyniosłem ci też kwiaty. Zdaje się jednak, że przybyłem za późno, bo wirują już serpentyny i konfetti, a więc przyjęcie się rozpoczęło.
– Nic się nie martw, Jasiu. W końcu to tylko godzina spóźnienia. Chodźmy tańczyć!

## 7 Dalej w tany!

W salonie panowała bardzo miła atmosfera. Było tam dużo dziewczynek i chłopców, którzy podskakiwali w rytm głośnej muzyki. W powietrzu wirowały baloniki, które raz po raz zderzały się z tancerzami. Jaś był jednak nieco znudzony, bo choć przyjemnie było tańczyć, to nie podobało mu się, że każdy zajmuje się sobą i nie patrzy w jego stronę pełnymi zachwytu oczami.

## 8 Głupota nie zna granic

Jaś miał już dość tego, że zwracała na niego uwagę tylko Regina, a ponieważ był nie tylko próżny, ale i głupi, wyciągnął papierosa i zapalił.

– Ach, jaki dorosły! – zawołała Reginka.

Gdy tylko padły te słowa, wszystkie dziewczynki przestały tańczyć i podeszły do Jasia osłupiałe z wrażenia, patrząc, jak wypuszcza dym nosem. A on, chcąc się popisać, wciągnął do płuc dym z papierosa z czarnego tytoniu. Tylko jego pies patrzył na to ze smutkiem w oczach, jakby chciał powiedzieć:

– Spójrzcie, co za głupi chłopiec!

# Kwiecień

## 9 Palenie szkodzi zdrowiu!

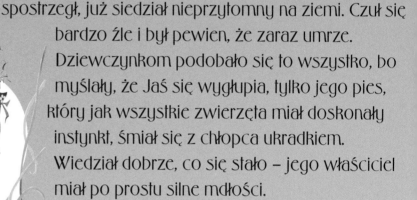

Jasiowi zaczęło się nagle wydawać, że salon się kręci, że dzieci stają się rozmazane, że z jego żołądkiem dzieje się coś bardzo dziwnego, a podłoga rusza się pod nogami. Zanim się spostrzegł, już siedział nieprzytomny na ziemi. Czuł się bardzo źle i był pewien, że zaraz umrze. Dziewczynkom podobało się to wszystko, bo myślały, że Jaś się wygłupia, tylko jego pies, który jak wszystkie zwierzęta miał doskonały instynkt, śmiał się z chłopca ukradkiem. Wiedział dobrze, co się stało – jego właściciel miał po prostu silne mdłości.

## 10 W łóżku i na diecie

Wezwano lekarza, bo gdy rodzice Reginy zobaczyli szarozieloną twarzyczkę Jasia, pomyśleli, że musiała go złapać jakaś potworna kolka. Lekarz powiedział jednak, że młodzieniec znajduje się w stanie zatrucia i musi położyć się do łóżka. Nie wolno mu nic jeść przynajmniej przez trzy dni.
– Wielkie nieba! – pomyślał śliczny chłopczyk, leżąc w łóżku blady jak kreda. – Co powiedziałyby moje koleżanki, gdyby mnie zobaczyły w tym stanie?

## 11 Nie dość, że próżny, to jeszcze nieuk

Jaś był już wyleczony. Szarozielona barwa znikła z jego twarzy i znowu stał się maskotką miasta. Ale nadeszła pora klasówek w szkole. Jaś, który spędzał całe godziny na przeglądaniu się w lusterku, przymierzaniu garniturów i prezentowaniu swoich wdzięków, nie miał ani chwili na naukę. Dostał najgorsze stopnie ze wszystkich przedmiotów. Dlatego też nałożono mu przepiękną ozdobę, która znakomicie pasowała do szarych spodni, które miał na sobie tego dnia – były to szare ośle uszy!

## Rybka i jej mama

## 12 Idziemy na ryby

Marylka mieszkała sobie w domku, z dala od miasta. Jej najlepszą przyjaciółką była kotka, która rozumiała wszystko, co Marylka do niej mówi, i zawsze była gotowa na przeżywanie przygód ze swoją panią. Pewnego ranka dziewczynka rzekła do swojej kotki:
– Słuchaj, Szaruniu, nie chciałabyś złowić pstrąga i zjeść go z masełkiem?
Szarunia, zaczęła aż skakać z radości.
– Dobrze, chodźmy więc na ryby!

## 13 Do roboty!

Dziewczynka i kotka szły brzegiem rzeki i nagle Szarunia zatrzymała się, zjeżyła sierść na grzbiecie i wskazała łapką miejsce, gdzie według niej powinno być pod dostatkiem pstrągów. Marylka wzięła więc wędkę, nanizała robaka na haczyk i powiedziała do kotki:

– Zrobimy tak: jak zarzucę wędkę, a potem będziemy ją razem trzymać. W ten sposób obydwie dołożymy sił i wyciągniemy rybkę, jak tylko chwyci przynętę.

## 14 Połów

Wkrótce wędka drgnęła, a żyłka naprężyła się, aż miło było patrzeć.

– Trzymaj mocno, Szaruniu – powiedziała dziewczynka. – Ja z całych sił pociągnę wędkę. Coś mi się zdaje, że trafiła się nam wielka ryba.

I powolutku, pomalutku wyciągały wędkę, na której spodziewały się ujrzeć ogromną sztukę.

## 15 Taaaka ryba!

Niespodzianka, która je spotkała, była ogromna. Nigdy nie przypuszczały, że złowią taką wielką rybę!

– Patrz, Szaruniu. Prawda, że takiej rybki w życiu jeszcze nie widziałaś?

A kotka zaczęła podskakiwać z radości, wyobrażając sobie ucztę, którą urządzą sobie niedługo.

– Jedno mnie tylko dziwi, Szaruniu. Czy nie wydaje ci się, że ta rybka ani trochę nie przypomina pstrąga? – zapytała Marylka.

## 16 Mała rybka

Marylka chciała schować rybę do koszyka, ale spostrzegła z zadowoleniem, że ryba jest zbyt duża, żeby się tam zmieścić. Wędkę i koszyk zarzuciła więc na ramię, a wolną ręką chwyciła rybę za ogon. Dziewczynka i kotka miały już wracać do domu, by przyrządzić smakowity posiłek, gdy dobiegł je rozpaczliwy głosik:

– Proszę, błagam, nie zabierajcie jej! To moja mamusia, jak ją zabierzecie, zostanę sierotą.

# Kwiecień

## 17 Rzeczna sierotka

Spoglądając na rzeczne sitowie, dziewczynka zdołała dostrzec malutką rybkę, która płakała tak żałośnie, że aż krajało się serce. Marylka zdumiała się wielce gadającą rybką, a do tego taką malutką. Szarunia też nie wierzyła: różowa ryba, prawie tak wielka jak ona, w ręku jej pani, która roniła wielkie łzy i tycia rybeńka w takim samym kolorze i też płacząca jak bóbr.

## 18 Znowu razem

Marylka była dziewczynką o bardzo dobrym sercu i oczywiście nie mogła dopuścić do tego, żeby oddzielić mamę rybę od jej dziecka.

– Nic się nie martw, maluchu. Oddam ci twoją mamę w tej chwili – zapewniła rybkę.

I wziąwszy ostrożnie swoją zdobycz, wpuściła ją z powrotem do rzeki do jej dziecka. Szarunia nie była zadowolona. Nie rozumiała bowiem, dlaczego niby z powodu lamentu dwóch ryb, miałaby zostać bez obiadu.

## Wszyscy zadowoleni

– Słuchaj, Szaruniu – dziewczynka zaczęła strofować kotkę.

– Uważam, że lepiej będzie, jeśli dziecko zostanie ze swoją mamą. Nie wydaje ci się to okrutne z naszej strony osierocić biedaczkę tylko po to, żebyśmy mogły mieć dobrą kolację? Ryby były bardzo szczęśliwe i podziękowały dziewczynce i jej kotce, skacząc po rzece, jakby były delfinami.

– Wiesz co, Szaruniu? Ponieważ byłaś taka wyrozumiała, otworzę dla ciebie puszkę sardynek, a na deser zjemy lody. Zgoda?

## Król Midas

## Chciwy król

Dawno, dawno temu żył sobie w pewnym królestwie, z dala od wszelkiej cywilizacji pewien król, który był najbardziej chciwy na świecie. Jedyne, co go interesowało, to góry złotych monet, które chował w tajemnej komnacie. Najgorszą cechą tego króla było to, że w ogóle nie obchodzili go mieszkańcy królestwa. Prawie wszyscy oni byli bardzo biedni i nie mieli pieniędzy nawet na jedzenie.

# Kwiecień

## 21 Genialny czarodziej

Pewnego razu król kazał wezwać najmądrzejszego czarodzieja w królestwie i powiedział do niego:

– Chcę, żebyś pomnożył moje bogactwa stukrotnie.

– A czy zamierzasz może w ten sposób uczynić twój lud szczęśliwszym? – zapytał czarodziej.

– Eee... zobaczymy – odrzekł król.

– Pomyśl dobrze, królu Midasie – mówił czarodziej – bo to, co zrobisz dla innych, zostanie ci zwrócone po stokroć.

– Ale ja nie chcę, żeby było mi coś zwracane, ale żebyś pomnożył to, co mam teraz.

– Czy masz jeszcze jakieś życzenie?

– Tak. Niech wszystko, czego dotknę, zamienia się w złoto.

## 22 Szaleństwo króla Midasa

– Czy jesteś pewien, że tego chcesz? – upewniał się czarodziej.

– Tak, tak! Dokładnie to byłoby spełnieniem moich marzeń – odparł król.

– Dobrze! Skoro jesteś takim głupcem, niegodziwcem i sknerą, dam ci to, o co prosisz. Na twoje nieszczęście od tej chwili wszystko, czego dotkniesz, zamieni się w szczere złoto.

I powiedziawszy to, największy z czarnoksiężników zniknął jak za dotknięciem czarodziejskiej różdżki.

## 23 Złoto, złoto, wszystko jest złotem!

Kiedy król wszedł do komnaty, w której chował
swoje bogactwa, zobaczył, że od podłogi aż po dach
wypełniona jest ona nieprzebranymi skarbami.
– Och, cóż za szczęście mnie spotkało! Jestem najbogatszym
królem na świecie!
I kiedy już fiknął z radości kilka koziołków
wśród klejnotów, pobiegł zaryglować wielkie
drzwi komnaty. Jednak gdy tylko ich dotknął,
zamieniły się one w czyste złoto. Wtedy jego
chciwość stała się jeszcze większa niż
kiedykolwiek. I zaraz poszedł na górę
do jadalni, bo od tylu wrażeń stał się głodny.

## 24 Początek nieszczęść

Gdy usiadł na krześle, w jednej chwili stało się ono ze złota,
położył dłonie na stół i on też zamienił się w złoto, wziął
do rąk szklankę i znów to samo, pieczonego kurczaka i...
on również zamienił się w złoto! Nie mógł jeść! Nie mógł
pić! Wszystko, czego dotykał, stawało się złotem!
– Och, wielkie nieba! Chciałem mieć złoto, ale złota
nie można zjeść ani wypić! – skarżył się król
Midas. – Cudownie jest mieć tyle złota, ale
muszę jakoś temu zaradzić, bo inaczej
umrę z głodu.

# Kwiecień

## Prawdziwa tragedia

Król całą noc nie spał, tylko myślał o tym, co powiedział mu czarodziej, zanim zniknął.

– Mówił, że to na moje nieszczęście wszystko, czego dotknę, będzie zamieniać się w złoto – przypominał sobie ze smutkiem. – Miał rację ten czarodziej!

– Tato, tato! – wołała księżniczka i biegła właśnie, by go pocałować.

– Nie, córeczko! Nie zbliżaj się do mnie, proszę cię, nie zbliżaj się!!!

Ale było już za późno... Księżniczka nie usłyszała ojca i w tej samej chwili, w której go ucałowała, zamieniła się w posąg z czystego złota.

## 26 Skruszony król

Klęcząc na złotej podłodze i płacząc rzewnymi łzami, król boleśnie rzekł do czarodzieja:

– Czarodzieju, zlituj się nade mną, czarodzieju! Proszę, uczyń tak, żeby wszystko było z powrotem jak przedtem. Nawet moja ukochana córeczka zmieniła się w złoty posąg! Zwróć mi ją, niech będzie z krwi i kości, proszę. Jeśli mi pomożesz, ja obiecuję ci, że podzielę się moimi skarbami z mieszkańcami królestwa.

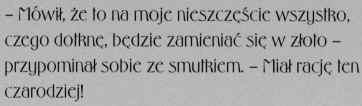

## 27 Złoto dla ludu

Król Midas całkowicie się odmienił. Po przeżyciu tych straszliwych chwil zdał sobie sprawę, że złoto jest bezużyteczne, jeśli nie służy osobom, które go naprawdę potrzebują. Zrozumiał, że samo tylko bogactwo nie przynosi szczęścia i że pragnienie posiadania wciąż nowych skarbów zatwardza serce. Wreszcie zauważył, że mieszkańcy jego królestwa cierpieli głód i nędzę. Król Midas osobiście zajął się rozdzieleniem swoich bogactw między biednych ludzi, a kiedy to czynił, dopiero wtedy poznał smak prawdziwego szczęścia.

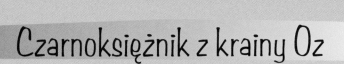

## Czarnoksiężnik z krainy Oz

## 28 Wielka burza

Pewnego dnia Dorotka wyszła na spacer ze swoim pieskiem Toto. Rozmawiali sobie z kwiatkami, które w wyobraźni dziewczynki stawały się przecudnymi księżniczkami zaklętymi przez złą wróżkę. Nagle nad ich głowami pojawiło się czarne jak smoła chmurzysko i lunęło jak z cebra, a silny wiatr, który właśnie się zerwał, przeniósł ich w dziwne i nieznane miejsce.

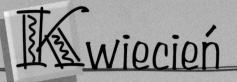

## 29 Strach na wróble

Zaczęli iść tajemniczą krainą i o mało nie wpadli na stracha na wróble, który zamiast stać pośrodku pola, gdzie jego miejsce, kroczył sobie drogą na swojej słomianej nodze.

– Bardzo dziwny z ciebie strach na wróble – powiedziała do niego Dorotka. – Powinieneś nie ruszać się z pola, gdzie pracujesz.

– Bo ja nie jestem zwyczajnym strachem na wróble. Ja mam serce, niestety nie słyszę jego bicia i dlatego niezwykle cierpię. Czy nie zechcielibyście towarzyszyć mi w drodze do czarnoksiężnika z krainy Oz? Jestem pewien, że on swoimi czarami będzie umiał sprawić, aby moje serce zabiło głośno niczym zegar na wieży.

## 30 Tchórzliwy lew

Ruszyli więc w drogę na poszukiwanie czarnoksiężnika, który mógłby wszystko naprawić. I szli tak sobie we trójkę, gdy nagle stanęli twarzą w twarz z olbrzymim lwem! Wszyscy wielce się przestraszyli. Dziewczynka, piesek i ich słomiany kolega odskoczyli z krzykiem w jedną stronę, zaś lew, rycząc wniebogłosy, odskoczył w drugą. Do tego trząsł się cały, jakby był z galarety.

– Hej, ty! – zganiła go Dorotka. – Dlaczego się boisz? Przecież jesteś królem dżungli!

– Przepraszam – powiedział lew, drżąc ze strachu.

– Jestem tak tchórzliwym lwem, że nawet myszy się ze mnie śmieją.

## Cichy wąż

Widok ogromnego lwa umierającego ze strachu przejął Dorotkę takim żalem, że zaprosiła go do wyprawy na poszukiwanie czarnoksiężnika z krainy Oz.

– Dziękuje wam bardzo! Z wielką przyjemnością pójdę z wami. Jeśli ten czarnoksiężnik uczyni mnie odważnym, będę wam za to wdzięczny do końca życia – powiedział lew.

Wkrótce nasza czwórka usłyszała cieniutki głosik:

– Ejże! Bądźcie łaskawi uważać, gdzie stawiacie nogi!

Głos ten należał do węża grzechotnika, który musiał mierzyć przynajmniej ze cztery metry.

– Jestem wężem, ale wcale nie lubię nikogo kąsać. Niestety moja grzechotka nie wydaje dźwięków i nie mogę nikogo ostrzec przed nadepnięciem na mnie – wysyczał cichutko wąż.

– Chodź więc z nami do krainy Oz!

## 2. Droga do zamku

Droga, którą musieli przebyć do krainy Oz, była bardzo, bardzo długa. Dochodziło już południe, gdy wędrowcy wyszli wreszcie z doliny, w której się poznali. Po krótkim odpoczynku zaczęli wspinać się na olbrzymie góry. Gdy już zapadał zmrok, w oddali, na szczycie najwyższej z gór dostrzegli zamek. Wszyscy musieli przekonywać lwa, który jako jedyny bał się dalej iść. W końcu dotarli do zamku czarnoksiężnika. Byli pełni nadziei, że teraz rozwiążą się wszystkie ich problemy.

## 3. Przed obliczem czarnoksiężnika

Wrota do zamku stały otworem, ale w jego stu komnatach nie spotkali żadnego sługi.

– Moi kochani – odezwała się Dorotka – czy słyszeliście kiedykolwiek, żeby tak ważny czarnoksiężnik nie miał nikogo, kto by mu służył?

– A po co mi służba? – rozległ się głos, który zdawał się dobiegać zewsząd. – Nie potrzebuję nikogo do pomocy. Powiedzcie, czego ode mnie chcecie?

Dorotka, która najlepiej z całej piątki umiała się wysławiać, opowiedziała mu historie swoich trzech nowych przyjaciół i przedstawiła prośby, które mieli do wielkiego czarnoksiężnika.

## 4. Czary czarnoksiężnika

W ręku czarnoksiężnika pojawiła się nagle butelka, a kiedy ją
odkorkował, zaczęły z jej wnętrza wydobywać się
niebieskie bańki mydlane. Otoczyły one stracha
na wróble, lwa i węża grzechotnika i w mgnieniu
oka wszyscy troje otrzymali to, czego najbardziej
pragnęli. Słomiany ludek stał się prawdziwym,
żywym chłopcem, bo dostał serce, które biło jak
dzwon. Lew zapomniał o wszystkich swoich
lękach i stał się odważny i potężny, a wąż
grzechotnik odzyskał dźwięk swojej grzechotki.
Dorotkę i jej pieska Toto ogarnęła wielka
radość, gdy zobaczyli, że każdy z ich przyjaciół
otrzymał to, czego mu brakowało.

## 5. Przebudzenie Dorotki

– Żegnaj, Dorotko! Żegnaj Toto! Żegnaaajcieee...!
Dorotka słyszała dobiegające ją z bardzo daleka głosy jej nowych
przyjaciół, którzy odchodzili w swoją stronę.
„To niemożliwe – pomyślała. – Słychać ich z tak daleka,
a przecież są tutaj, koło mnie, w zamku
czarnoksiężnika z krainy Oz".
I nagle zobaczyła okrągłą twarz księżyca, który
zdawał się patrzeć na nią z uśmiechem.
Nadal była noc, ale ona nie była już w zamku, ale
siedziała na polu z głową wspartą o kamień.
Wszystko to było tylko snem!

# Maj

## Guliwer w krainie Liliputów

### 6 Młodzieniec żądny przygód

Guliwer nigdzie nie mógł zagrzać miejsca, nosiło go to tu, to tam. Ciągle tylko myślał o nowych przygodach i o poznawaniu świata. Marzyły mu się walki z piratami i uwalnianie pięknych księżniczek. Był sierotą i już od dzieciństwa musiał pracować w miejskiej kuźni. Nadawał się do tego zajęcia jak nikt inny, bo był chłopakiem wysokim i silnym, a przecież dużo siły potrzeba, by być pomocnikiem kowala. Poza tym zawsze miał dobry apetyt i mógłby całymi dniami jeść. Rósł więc zdrowy, silny i ciężko pracował.

### 7 Sztorm

Pewnego dnia, gdy przechadzał się uliczkami w porcie, ujrzał wielki statek handlowy, który przygotowywał się do wypłynięcia w morze. Podszedł do kapitana i zapytał:

– Dokąd płynie ten statek, proszę pana?

– Daleko na północ Europy. Chciałbyś się zaciągnąć na mój okręt?

I tak Guliwer ruszył w podróż. Po kilku dniach żeglowania zaskoczył ich sztorm, który roztrzaskał statek. Guliwer znalazł się sam na środku morza, trzymając się tylko kawałka masztowej belki.

 ## Malutkie miasto

Minęły dwa dni i dwie noce. Guliwer nie spał, nie jadł ani nie pił.
Wytrzymywał jakoś dzięki swojemu hartowi ducha, ale zaczynało
mu już brakować sił. Gdy tak dryfował na fali, nagle na horyzoncie
pojawił się ląd. I po tym jak słońce wstało trzeciego dnia, Guliwer
dostrzegł wybrzeże. Jakież było jego zdumienie, gdy ujrzał
w pobliżu plaży malutkie miasteczko z malutkimi domkami,
uliczkami i placykami. Wszystko było tam żywe: domy, drzewa,
konie, wozy... Miasteczko wyglądało jak zabawkowe. Uklęknął
w wodzie i oglądał je oczarowany.

– To musi być zabawka córki jakiegoś możnowładcy – powiedział
sam do siebie Guliwer.

## 9 Rozzłoszczone karzełki

Chwilę później przekonał się, że to nie zabawka. Mieszkały tam prawdziwe choć małe ludziki, które bez przerwy pracowały. Dziwne tylko, że w domach i na rynku były same kobiety.

– A gdzie podziali się mężczyźni? – zapytał sam siebie Guliwer.

I wstał, żeby spojrzeć na wyspę z większej wysokości, a tu nagle zaczęły na niego wskakiwać setki karzełków. W mgnieniu oka skrępowały go mnóstwem cienkich, ale mocnych lin. Guliwer leżał teraz na plaży, nie mogąc się ruszyć.

## 10 Przed obliczem króla

Małe ludziki otoczyły Guliwera i patrzyły na niego ciekawie. Po chwili głos zabrał jeden z nich, który miał złotą koronę na głowie:

– Ja jestem królem, a to jest kraina Liliputów. Teraz ty powiedz, kim jesteś i skąd przybywasz?

Guliwer opowiedział więc o wszystkim, co mu się przytrafiło.

– Mam dla ciebie następującą propozycję – rzekł do niego król. – Jeśli pomożesz nam w wojnach przeciwko piratom, puszczę cię wolno i jeszcze sowicie wynagrodzę.

## 11 Bitwa z piratami

Guliwer wszedł do morza i wkrótce napotkał statki piratów. Było to pięć okrętów, a na ich pokładach mnóstwo ludzików o groźnych twarzach. Statki były uzbrojone w armaty, ale tak małe, że tylko śmieszyły Guliwera.

– No to teraz sobie zatańczymy! – ryknął Guliwer straszliwym głosem do piratów.

– Król Liliputów nie chce was tu więcej widzieć, wy skarłałe rabusie! Od tej chwili ja jestem odpowiedzialny za utrzymanie pokoju na tych plażach. A zatem, precz stąd! Wynocha, już was tu nie ma!

## 12 Zwycięstwo Guliwera

Po wygranej bitwie Guliwer powrócił w blasku chwały do krainy Liliputów. Czekał tam na niego król wraz z całym ludem, który zakrzyknął chórem:

– Brawo! Wiwat! Niech żyje zwycięzca!

– Guliwerze, mój drogi przyjacielu – rzekł król. – Chcielibyśmy, abyś pomieszkał trochę w naszej wiosce i pozwolił nam okazać ci wdzięczność.

I Guliwer, który był bardzo dobrze wychowanym chłopcem, przyjął zaproszenie i został na jakiś czas ze swoimi malutkimi przyjaciółmi.

# Maj

## 13 Powrót do domu

Po paru tygodniach Guliwer udał się do pałacu na rozmowę z królem.

— Wasza Królewska Mość — zwrócił się do monarchy.
— Jest mi tutaj bardzo dobrze, wręcz znakomicie, ale tęsknię bardzo za moją ojczyzną i chciałbym już wracać.
— Jeśli tego właśnie pragniesz — odparł król — niech tak będzie.

I król nakazał całemu ludowi zbudować olbrzymi statek. Gdy ten był gotowy, Guliwer pożegnał się ze wszystkimi i wypłynął w morze, a jego malutcy przyjaciele długo jeszcze żegnali go, machając na brzegu.

## Wesoły wieloryb

### 14 Najmłodszy rybak we wsi

W pewnej wiosce rybackiej żył raz sobie chłopiec. Każdego ranka wypływał małą łódeczką, by zarzucić sieci i spróbować szczęścia w rybackim rzemiośle. Od kilku dni rybacy mówili między sobą, że niewiele ryb zostało, i widząc, że Gucio szykuje się do wypłynięcia w morze, powiedzieli mu:

— Guciu, zdaje nam się, że tracisz czas. Dwieście metrów od wyjścia z portu są tak ogromne fale, że spłoszyły się wszystkie ryby.

##  15 Podmorskie trzęsienie ziemi

Gucio jednak wypłynął w morze i zarzucił wędkę. I wtedy właśnie znienacka nadeszła wielka fala i mało brakowało, a zatopiłaby Gucia! Cudem też ocalił wędkę, choć był o włos od wypuszczenia jej z rąk. Przypomniał sobie od razu, co mówili starzy rybacy, że od pewnego czasu, w morzu nie dawało się łowić ryb, bo ogromne fale nawiedzały tereny ich połowów.

– Ależ oni mieli rację! – powiedział do siebie Gucio. – A ja jestem głupcem, który nie słucha starszych i bardziej doświadczonych od siebie. Ciekawe, jak wyjdę z tej całej opresji!

# Maj

## 16 Walka z falami

Stojąc w swej maleńkiej łódeczce, Gucio próbował walczyć z falami uzbrojony w jedno wiosło.

– Coś strasznego! W takich warunkach nie złowię ani jednej rybki! – denerwował się Gucio. A przecież pogoda miała być taka ładna, a tu znienacka zrywa się ogromna fala jakby podmorskie trzęsienie ziemi i nikt nie wie, dlaczego tak się dzieje!

Woda wdzierała się na pokład i w każdej chwili mogła zatopić niewielki stateczek. Fale rzucały nim w prawo i w lewo jak zabawką.

## 17 Przyjazny wieloryb

Nagle Gucio znalazł się na czubku jakiejś podwodnej góry. Spostrzegł na jej zboczu wielgachne oczysko paraliżujące go swoim spojrzeniem.

– Czy masz zamiar zabić mnie wzrokiem? – zapytał Gucio. – Bądź łaskaw przestać i powiedz mi, kim jesteś!

– Witaj, chłopcze – stwór przywitał Gucia uprzejmie. – Jestem wielorybicą i bardzo mi przykro, że cię przestraszyłam, ale gdybyś znał moją historię...

##  18 Historia wielorybicy

– Kiedy byłam małą wielorybką – rzekła – niechcący połknęłam parkę rozgwiazd, a one rozmnożyły się i zaległy mi się w brzuchu.

– A co to ma wspólnego z twoimi dzikimi podskokami? – zapytał Gucio.

– Mam łaskotki i gdy rozgwiazdy się ruszają, umieram ze śmiechu! A że jestem taka wielka, to śmiejąc się, wzburzam bardzo wodę. Wtedy wszyscy myślą, że to podmorskie trzęsienie ziemi.

##  19 Wspaniały pomysł

– Słuchaj, wielka rybo. Jeśli znajdę sposób, żebyś przestała się śmiać, rybacy z mojej wsi będą mogli znowu wypływać na połów. Co ty na to?

– Byłoby cudownie! Jeżeli ty oczyścisz moje wnętrzności z rozgwiazd, to ja nagonię do waszego portu wszystkie ryby, jakich będzie wam trzeba.

– Powiedz mi więc, dla jakich ryb rozgwiazdy są największym przysmakiem?

– Dla wszystkich ryb skalistych.

– W takim razie nie traćmy ani minuty więcej. Wsadź mnie na swój grzbiet i płyńmy do nich.

# Maj

## 20 Wielkie dokarmianie

Wielorybica zanurzyła się, a potem bardzo ostrożnie wypłynęła, unosząc na grzbiecie łódeczkę Gucia.

– Trzymaj się mocno – powiedziała i już mknęli przez fale.

Wielorybica znów zanurzyła się i pozostawiła Gucia samego w łodzi na środku morza. Chłopiec, który okazał się wspaniałym rybakiem, zaczął wyciągać ryby z wody jedna po drugiej i ciskać je prosto w otwartą paszczę wielorybicy. Kiedy ta połknęła już pięćdziesiąt, powiedziała do Gucia:

– Zabiorę cię do portu, odpocznij sobie spokojnie tej nocy. Spotkamy się jutro w tym samym miejscu. Przekonamy się, czy twój plan zadziała.

## 21 Wszyscy zadowoleni

Następnego dnia od razu po przebudzeniu Gucio wyjrzał przez okno wychodzące na port. Skoczył do góry ze szczęścia, widząc, że wszystkie statki wypłynęły na połów. Chłopiec szybciutko się ubrał i pobiegł do swojej łodzi.

Wiosłował i wiosłował, aż przybył na miejsce, w którym poprzedniego dnia spotkał wielorybicę. Naraz ujrzał gigantyczny łeb uśmiechnięty i promieniejący szczęściem.

– Witaj, przyjacielu! – przywitała go wielorybica. – Mam ogromny dług wdzięczności wobec ciebie.

– Nie przejmuj się. Pomożesz nam łowić.

# Kura znosząca złote jajka

## 22. Dobra dziewczynka

Blanka zbierała leśne poziomki, gdy nagle usłyszała rozpaczliwy krzyk. Rzuciła się pędem w stronę, z której dobiegał głos. Napotkała tam staruszka, który wpadł do dziury w ziemi.

– Wytrzymajcie, dziadku, jeszcze chwileczkę, zaraz was stąd wyciągnę – wołała dziewczynka.

Aby wyrazić swoją wdzięczność, staruszek podarował jej wielką, białą kurę – prawdziwe cudo. I ani się dziewczynka spostrzegła, jak staruszek zniknął.

## 23. Cudowna kura

– Mamo, mamo! – zawołała Blanka, kiedy przyszła do domu.

– Spójrz tylko, co podarował mi pewien miły staruszek, którego spotkałam w lesie.

– Wspaniale! Urządzimy jej grzędę w przedsionku – rzekła mama na widok kury. Kiedy tylko Blanka obudziła się następnego dnia, od razu pobiegła do kury i spostrzegła, że zniosła ona przepiękne jajo. Ale... uwaga! Nie było to zwykłe jajo jak każde inne. Było żółte i błyszczało metalicznym połyskiem... To było jajo ze złota!

## 24. Do miasteczka na zakupy

Jubiler zapłacił Blance masę pieniędzy za złote jajo i wtedy mama z córeczką mogły po raz pierwszy w życiu zrobić zakupy. Wcześniej były tak biedne, że nigdy nie kupowały niczego, co nie byłoby ziemniakiem lub kawałkiem słoniny. Nabyły też odzież, obuwie, znakomite potrawy, wonne mydła, torciki, kokardki na warkocze i wiele innych rzeczy. I tak jednego dnia położyły się spać biedne, a następnego obudziły się bogate. Od tej pory codziennie bez wiadomej przyczyny, punktualnie o ósmej rano cudowna kura znosiła jajo z najszczerszego złota.

## 25. Samolubna dziewczynka

Im więcej przybywało im bogactwa, tym bardziej Blanka zapominała o ciężkich czasach. Nie była już tą samą dobrą i opiekuńczą dziewczynką.

Pewnego dnia ktoś zapukał do ich drzwi. Blanka zobaczyła przed domem pewnego chłopca, tak ubogiego, jak kiedyś ona.

– Bardzo cię proszę, daj mi coś do jedzenia.

– Chyba nie myślisz, że zaproszę cię na obiad do mojego domu? Narobiłbyś niezłego zgorszenia swoim nędznym wyglądem – odpowiedziała mu Blanka bardzo niegrzecznie.

## 26 Gdzie są złote jaja?

O świcie Blanka udała się jak zwykle do kurnika po jajo. Kiedy tam weszła, ujrzała dwa jaja, lecz pęknięte, a do tego usmażone. Strasznie się rozzłościła:

– Co zrobiłaś, głupia kuro! Że też musisz być kurą! Wszystkie kury są głupie! Gdzie moje złote jajka?

– To przebadaj mnie, skoro tak – odpowiedziała kura. – Moim obowiązkiem jest znoszenie jaj, a jeśli wychodzą smażone, to nie moja wina! Tak więc proszę łaskawie przestań mi ubliżać. Jesteś źle wychowana, co to za maniery! Nie mów tak do mnie więcej, bo zabiorę się z tej wioski!

## 27 Wybuch gniewu Blanki

Blanka zła jak osa chwyciła za miotłę i rzuciła się z nią na kurę. Ta uciekała to w jedną, to w drugą stronę, unosząc skrzydła do góry.

– Ejże, ejże! Przestań gonić mnie z tą miotłą, to nie moja wina!

– A gdzie moje złote jajka? Dam ci takie lanie, że popamiętasz!

– Skąd mam wiedzieć, jakie jaja znoszę? Wiem tylko, że mam znieść jedno dzień w dzień, ale z czego one są zrobione, to pojęcia zielonego nie mam! Żeby tyle wiedzieć, to trzeba uniwersytet skończyć.

## 28 Niespodziewane przybycie czarodzieja

W tym momencie kurnik wypełnił się magicznym światłem i pojawił się nagle poznany w lesie staruszek.

– Rzuć tę miotłę, dziewczynko – powiedział czarodziej. – Nieszczęsna kura nie jest niczemu winna. Winna natomiast jesteś ty, przez swój egoizm. Wcześniej twoje serce było ze szczerego złota jak jajka znoszone przez tę kurę, którą ci podarowałem. I może nigdy już ich nie znieść, jeśli nie wróci twoje dobre serduszko.

– A nie mówiłam, a nie mówiłam! Ja jestem niewinna! – krzyczała biedna kura cała w nerwach.

## 29 Kura nioska

Blanka zrozumiała w końcu, że jej zachowanie było okropne i że należała jej się kara od czarodzieja. Kiedy już przeprosiła się z kurą, wybiegła szybko z domu, aby odszukać chłopca, którego przegoniła poprzedniego dnia.

Spotkała go siedzącego na kamieniu.

Podeszła doń i rzekła:

– Przychodzę prosić cię o wybaczenie za straszne rzeczy, które ci wczoraj powiedziałam. Proszę, przychodź do mojego domu każdego dnia na obiad.

A kura z powrotem zaczęła znosić złote jaja.

# Stolik, osiołek i kijek

## 30 Krawiec i jego synowie

Pewien krawiec miał trzech synów, a wołano na nich: Duży, Średni i Mały. Pewnego dnia w drzwiach domu stanęła koza, a krawiec powiedział Dużemu, żeby zabrał ją i dobrze nakarmił. Potem krawiec zapytał, czy koza dobrze podjadła, a syn powiedział, że lepiej niż dobrze. Gdy zapytał o to samo kozę, ta kłamczucha powiedziała mu, że jest wciąż głodna. Wtedy rozwścieczony ojciec wyrzucił z domu Dużego, a następnego dnia także Średniego, bo historia się powtórzyła.

## 31 Mały i koza kłamczucha

Trzeciego dnia najmłodszy syn miał karmić kozę. Kiedy już to zrobił, ojciec zadał to samo pytanie, tak synowi, jak i kozie, i po usłyszeniu obydwu odpowiedzi znowu dostał ataku furii i wygnał Małego. Następnego ranka ojciec sam wyprowadził kozę na pastwisko. W drodze powrotnej spytał ją, czy jest najedzona. Koza odpowiedziała, że nie, a krawiec dał jej solidne lanie, żeby oduczyła się kłamać.

# Czerwiec

## 1 Cudowny stolik

Duży znalazł pracę jako uczeń stolarza i zarówno on, jak i mistrz
byli zadowoleni ze współpracy. Ale po jakimś czasie zatęsknił
za swoją rodziną i powiedział o tym pracodawcy.
Stolarz dał mu na pamiątkę zaczarowany stolik, który
na jedno powiedzenie: „Stoliczku, nakryj się!" cały
zapełniał się najbardziej wykwintnymi
potrawami na świecie. W drodze
do domu Duży zatrzymał się w oberży.
Oberżysta, znając sekret zaczarowanego
stolika, zamienił mu go na inny, który był
zwykły. Kiedy chłopak chciał pokazać go
swojemu ojcu, ze stolikiem pomimo
zaklęcia nie działo się nic.

## 2 Cudowny osioł

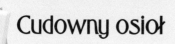

Średni szybko znalazł pracę jako pomocnik
młynarza i było mu bardzo dobrze. Ale mijał
czas i tęsknił coraz bardziej za ojcem i braćmi.
Aż w końcu pewnego dnia powiedział
młynarzowi, że chce wracać do domu
do swojej rodziny. Młynarz doskonale to
rozumiał, a ponieważ Średni był dobrym
pracownikiem, chciał okazać mu swoją
wdzięczność i obdarował go osłem o pewnej
niezwykłej właściwości. Otóż, kiedy pociągnęło się
go za ogon, z pyska wypadały mu złote monety.

## 3 Oberżysta złodziej

Średni podziękował młynarzowi za prezent i wsiadłszy na swojego
osła, wyruszył w drogę do domu. Kiedy zapadł zmrok, zatrzymał się
w oberży, gdzie przebywał wcześniej Duży,
a zjadłszy kolację, rzekł do oberżysty:
– Proszę chwilę zaczekać. Pójdę
do stajni, bo zostawiłem pieniądze
w jukach mego osła.
Oberżysta podążył cichcem
za chłopakiem i zobaczył, jak osioł
wyrzuca z pyska złote monety.
Poczekał więc, aż Średni pójdzie spać,
i zamienił mu zaczarowanego osiołka
na zwykłego.

## 4 Rozczarowanie Średniego

Kiedy Średni wrócił do domu, uścisał ojca czule i rzekł:
– Ojcze, nie będziemy już biedni. Młynarz, u którego pracowałem,
podarował mi zaczarowanego osiołka, któremu złote monety
wypadają z pyska.
I Średni pociągnął osiołka za ogon. Ale że nie było to
rzeczywiście to samo zwierzę, to jedynym, co
wydobyło się z ośłego pyska, był potworny
ryk. Ojciec znów się zmartwił, tak samo jak
wcześniej, gdy Duży demonstrował
rzekomo zaczarowany stolik, i poszedł
dalej łatać garnitury.

# Czerwiec

## Mały wszystko naprawia

Mały, który pracował jako elektryk, dostał list od swoich starszych braci. Ostrzegali go przed nieuczciwym oberżystą. Pewnego dnia Mały poczuł wielką ochotę spotkać się z braćmi i z ojcem, powiedział więc swojemu mistrzowi, że chce jechać do domu. Elektryk zrozumiał to i ofiarował mu pożegnalny prezent. Był to kij mający magiczne właściwości, który po wypowiedzeniu słów „kij – bij!" pokonywał w boju silniejszego przeciwnika. Mały udał się więc do domu, a po drodze wstąpił do oberży i za pomocą kija odebrał oberżyście stolik i osiołka.

## Chata pełna cudów

Kiedy Mały wrócił do domu, uściskał ojca z całych sił i opowiedział mu wszystko o oberżyście złodzieju. Wtedy ojciec pożalił się, że Duży i Średni uciekli z domu ze wstydu, na co Mały odpowiedział:
– Więc sprowadź ich z powrotem, bo mam tutaj magiczny stolik i zaczarowanego osiołka i pokażę ci, że moi bracia mówili prawdę!
I dzięki tym wszystkim rzeczom nigdy niczego już nie zabrakło w domu krawca.

# Pola i Tola

## 7 Beztroskie siostrzyczki

W krainie karzełków żyły sobie dwie dziewczynki bliźniaczki
– prześliczne, ale całkiem lekkomyślne. Na imię im było Pola i Tola.
Pewnego ranka Pola obudziła Tolę i powiedziała:
– Chodź, wstawaj, pójdziemy sobie
na spacer do lasu.
– Cudownie! – ucieszyła się Tola.
Weźmiemy koszyk ze śniadaniem
i zjemy je nad rzeką.
Przygotowały więc śniadanie, założyły
stroje kąpielowe i wesoło ruszyły
na przechadzkę.

## 8 Latający liść

Dziewczynki usiadły na liściu indyjskiego banana,
który służył im za pojazd, i szybowały po niebie
ponad lasem, patrząc na piękną okolicę.
Przybyły do wioski, w której wszystkie domy
były zrobione z grzybów, i nagle
wybuchnęły śmiechem na widok
dziewczynki robiącej sweter na drutach.
– Popatrz, Polu – zawołała Tola – jak
można pracować w taki piękny dzień?!

# Czerwiec

## 9 Piknik nad rzeką

Usiadłszy na gałęzi nad rzeką, zaczęły wyjmować z koszyka przysmaki, które przygotowały sobie na drugie śniadanie. W pewnej chwili nagły podmuch wiatru przywiał mnóstwo suchych i żółtych liści.

– Spójrz, Polu, coś mi się zdaje, że jesień się zbliża! Popatrz, jak spadają liście.

– Tak, to prawda. Musimy wsiadać na nasz liść indyjskiego banana i lecieć z powrotem do domu.

Ale ich liść bananowy odfrunął z wiatrem wraz z innymi liśćmi i dziewczynki pozostały same w środku lasu, z dala od domu, za całą odzież mając tylko stroje kąpielowe.

## 10 Pierwsze śniegi

Wiele dni musiały iść piechotą. Były bose, więc miały odmrożone i obolałe stopy, a narastający ziąb sprawiał, że całe dygotały z zimna.

– Polu, czy mi się zdaje, czy nadeszła już zima?

– Ależ to niemożliwe, Tolu. Zima przychodzi po jesieni, a myśmy wyszły z domu, jak było lato. Nie pamiętasz, jakie świeciło słońce?

I gdy tak rozprawiały, rozpętała się straszliwa śnieżyca.

## 11  Nadeszła zima

– Słuchaj, Tolu – rzekła do swojej siostry przestraszona nie na żarty Pola – coś mi się zdaje, że jak tak dalej pójdzie, to umrzemy z zimna.

– Masz całkowitą rację. Trzeba nam czegoś do okrycia.

Wtem zauważyły małą włochatą kulkę, która skakała po śniegu.

– Patrz, patrz, Polu! To zając, on ma futro! Zabierzmy mu je!

– Tak, to świetny pomysł! Ściągniemy zającowi futro i zrobimy sobie ciepłe palta, żeby się ogrzać na tym straszliwym mrozie.

## 12  Polowanie na zająca

– Bądź bardzo cicho, Tolu – powiedziała Pola do siostry. – Złapiemy tego zająca.
I Pola odwiązała kokardę, którą miała we włosach, zrobiła pętelkę i jednym szybkim ruchem zarzuciła ją na zwierzątko.
– Wybacz, zajączku – rzekła – ale jest bardzo zimno, a my wyszłyśmy z domu tylko w kostiumach kąpielowych. Bardzo mi przykro, ale musimy ściągnąć ci skórkę.

# Czerwiec

## 13 Sprzeciw zająca

Pola z całych sił chwyciła zająca za uszy, podczas gdy Tola tylko się przyglądała, woląc nie zbliżać się zbytnio, na wypadek gdyby zwierzątko je zaatakowało. Biedny zajączek niemal umierał ze strachu na myśl, że zostanie obdarty ze skóry.

– To nie moja wina, że jesteście takie lekkomyślne. Komu by przyszło do głowy, przechadzać się po lesie w środku zimy w samym stroju kąpielowym? Czyż muszę płacić za to, że takie z was trzpioty?

## 14 Zmiana charakteru

Dziewczynki ulitowały się nad zajączkiem i zostawiły jego futrzane palto. Zwierzątko zaś, które było aniołem, pomogło im przeprawić się przez las, prowadząc je od jednej zajęczej norki do drugiej.

W końcu dotarli wszyscy do domu, a tam ugotowali cieplutką zupę i założyli ciepłe ubrania. Ta nieszczęsna przygoda nauczyła Polę i Tolę ważnej rzeczy: należy pracować, kiedy jest ładna pogoda, żeby mieć co jeść i w co się ubrać, gdy nadejdą mrozy.

# Gwiaździsty deszcz

## 15 Hojna dziewczynka

Martynka była bardzo biedną dziewczynką, ale choć brakowało jej wielu rzeczy, to nie zbywało jej na dobrym serduszku. Pewnego dnia, gdy spacerowała sobie nad rzeką, jedząc piętkę suchego chleba, spotkała staruszka, który wydał jej się jeszcze biedniejszy od niej.

– Proszę, dziadku! Weź tę piętkę, posil się choć trochę – i dała staruszkowi swój kawałek chleba.

## 16 Mały żebrak

Kiedy indziej zobaczyła znów chłopca odzianego w łachmany, który płakał rzewnymi łzami.

– Co ci jest? – zapytała go Martynka.

– Czemu tak żałośnie płaczesz?

– Jest mi bardzo zimno

– odpowiedział chłopczyk – i boli mnie głowa z przeziębienia.

– Nie płacz już. Zobacz, dam ci moją czapeczkę, bo mnie wystarczająco grzeją włosy.

I podarowała chłopcu swoją czapkę.

# Czerwiec

## 17 Zmarznięte dziecko

– Dlaczego na tym świecie są dzieci i staruszkowie, którzy cierpią z powodu głodu i chłodu? – pytała Martynka samą siebie.

– Gdybym miała pieniądze, nikomu na świecie nie byłoby źle. Z tych marzeń wyrwał ją cichutki, pełen bólu lament. Głos dochodził ze zrujnowanego domu. Martynka skierowała się w miejsce, skąd dochodził płacz, i ujrzała dziewczynkę w swoim wieku, która dygotała z zimna, bo miała na sobie tylko podartą koszulinę.

– Biedactwo, ty się cała trzęsiesz! Musi ci być potwornie zimno. Nie płacz. Dam ci moje ubranie i buty. Są cieplutkie, bo je wygrzałam na sobie, więc zaraz się rozgrzejesz.

## 18 Naga dziewczynka

Biegnąc, żeby się rozgrzać, Martynka przybyła do lasu nieopodal miasta. Chociaż było jej zimno, bardzo się cieszyła, że mogła pomóc trzem osobom, które były w gorszej biedzie niż ona. Wtem ujrzała zbliżającą się do niej całkiem nagą dziewczynkę.

– A gdzie ty idziesz cała goła w taki ziąb? – zapytała ją ze zdumieniem.

– Nie mam żadnych ubrań, żeby na siebie założyć – rzekła smutno. – Gdybyś mogła pożyczyć mi koszulę, to choć trochę bym się ogrzała.

– Masz, weź ją, potrzebujesz koszuli bardziej niż ja.

##  19 Ciemny las

W lesie Martynka skuliła się pod starym
świerkiem i próbując rozgrzać się trochę,
poczuła się nagle bardzo szczęśliwa.
– Panie świerku – powiedziała do drzewa,
o które się opierała. –Tli mi się w sercu takie
ciepełko. Pan, panie świerku, jest tak stary
i tyle widział więc, niech mi pan powie, czy to
się dzieje naprawdę, czy tylko mi się zdaje?
Może tylko sobie to wyobrażam?
– Nie, Martynko – opowiedział świerk grubym
i poważnym głosem – nie wyobrażasz sobie tego.
Po prostu twoje serce jest tak gorące, że jego ciepło
dociera nawet do środka mojego pnia.

##  20 Stary świerk

– Ułóż się na mojej korze, Martynko – powiedział
do dziewczynki świerk. – Zapada już
zmierzch. Czy widzisz gwiazdy?
– Tak, oczywiście, że widzę
– odpowiedziała staremu drzewu
dziewczynka. – Tutaj w lesie świecą
dużo jaśniej.
– Popatrz na nie uważnie i powiedz
mi, co widzisz.
– Widzę, że są przecudne i że jest ich
mnóstwo. Nigdy w życiu nie widziałam
tylu gwiazd.

## 21 Prezent od gwiazd

– Panie świerku – rzekła Martynka do drzewa – gwiazdy wciąż się zniżają i pędzą w naszym kierunku.

– Nie martw się, dziewczynko – powiedział głos z nieba – chciałyśmy tylko przyjrzeć ci się z bliska.

– Kim jesteście? – zapytała.

– Wy nazywacie nas gwiazdami. Wstań, Martynko i wyjdź spod gałęzi przyjacielskiego świerka.

Dziewczynka wstała i oddaliła się nieco od drzewa. Poczuła nagle, że otaczają ją tysiące świecących punktów. A potem posypał się na nią deszcz złotych monet.

## 22 Marzenie staje się rzeczywistością

Gwiazdy powoli się oddalały, a Martynka spostrzegła, że ma na sobie przepiękną sukienkę z niebieskiego aksamitu. Pocałowała pana świerka w korę i zgarnęła w spódnicę talary, które spadły z nieba.

– Trzeba ci wiedzieć, Martynko, że te monety nie skończą się, jeśli tylko będziesz ich używać do spełniania dobrych uczynków.

I nie skończyły się nigdy, bo Martynka zawsze pomagała tym, którzy tego potrzebowali.

# Mała muszka

## 23 Roztargniony bocian

Bocian Benek, który był tak roztargniony, że nie wiedział nawet, gdzie jest północ, miał dostarczyć małe dziecko do domu pewnej rodziny. Ponieważ nie pamiętał adresu, skończyło się na tym, że fruwał w kółko, nie wiedząc dokąd lecieć. Wreszcie po dwóch godzinach lotu, ujrzał miasteczko, które wydało mu się bardzo ładne. Powiedział do siebie na głos:

– Zdaje się, że to miasteczko jest całkiem miłe. Zostawię moją przesyłkę w jednym z tych ślicznych domków, a jego mieszkańcy na pewno ucieszą się z prezentu.

## 24 W domu rodziny muszek

Kiedy tylko bocian zostawił przesyłkę, trzy małe muchy zaczęły fruwać wokół kołyski, w której leżała zawartość paczki.

– Nie ma czułków jak my – zauważyła najmniejsza i najbardziej spostrzegawcza.

– Ojej, jaka brzydka! – zabrzęczały wszystkie trzy naraz. – To musi być jakaś bardzo dziwna mucha.

# Czerwiec

## 25 Motyl wśród much

– Na moje oko to jest jakiś dziwoląg – powiedziała najstarsza muszka średniej siostrze.

– Nie wydaje ci się, że ma bardzo dziwne skrzydełka? – zapytała średnia siostra najmłodszą.

– Żeby tylko to! – odpowiedziała najmniejsza. – Przyjrzyj się jej uważnie, cały dzień siedzi w kwiatkach. Dzisiaj rano chciałam poczęstować ją znakomitym owocem, a ta tylko siedziała na liściu i zamiast jeść słodkie jabłko, zadumana wąchała kwiaty.

## 26 Wielki kołacz

Było lato i ludzie trzymali okna swoich domów otwarte na oścież. Był to najlepszy czas, żeby musze rodzeństwo mogło podjeść sobie najwspanialszych przysmaków pod słońcem. W jadalni jednej z rodzin tych wielkich ludzi stał stół, a na nim maślany kołacz, soczysty i pachnący, na widok którego ciekła ślinka.

– Mała muszko! – zawołały muchy swoją dziwną siostrę muchę – chodź na podwieczorek! Mamy tutaj takie ciasto, że łapki lizać. To musi być jedna z najpyszniejszych rzeczy na świecie!

## 27 Straszliwe odkrycie

Pewnego dnia dziwna mała muszka rozglądała się po domu państwa Muchów i nagle posłyszała głosik, który wołał do niej:

– Proszę cię, pomóż mi, o piękne stworzenie! – wołał to do niej mały robaczek, który miał żelazną kulę przywiązaną do szyi.

– Robaczku, dlaczego masz tę kulę? – spytała mała muszka.

– Żebym nie uciekł. Jak będę dostatecznie tłusty, wsadzą mnie do pieca i zjedzą.

– Jakie to straszne! Zaraz cię oswobodzę – rzekła dziwna muszka.

## 28 Wygnanie

Kiedy rodzina Muchów dowiedziała się, że dziwna muszka uwolniła robaka, wściekli się wszyscy nie na żarty.

– Ty krnąbrna muszko! – krzyknął tata. – Co ty sobie wyobrażasz, jakim prawem wyrzucasz nasz obiad?! Spotka cię za to kara. Zastanówmy się – zwrócił się do swojej rodziny – jak myślicie, powinniśmy wyrzucić ją z naszego domu?

– Tak, tak, tak, tak! – zgodnym krzykiem oznajmiły cztery głosy: mamy i jej trojga dzieci. I mała muszka musiała wynieść się z jedynego domu, jaki miała.

# Czerwiec

## 29 Samotny lot

Małej muszce było bardzo smutno. Nie wiedziała, dokąd teraz iść. Do tej pory nigdy nie latała sama, bo zawsze towarzyszyły jej siostry, kiedy wyfruwała z domu.

– I co dalej ze mną będzie? – pytała sama siebie, łykając łzy.

– Gdzie będę mieszkać?

Latała tak bez wyraźnego celu, kiedy nagle zobaczyła kogoś bardzo podobnego do siebie chociaż innego koloru. Leżał on na kwiatku, wąchając go, bardzo zadowolony z życia.

– O, co za niespodzianka! Zdaje się, że ta mucha też lubi wąchać kwiaty tak jak ja. Chyba podejdę do niej, żeby porozmawiać – rzekła do siebie muszka.

## 30 Muszka motylem

– Dzień dobry, pani mucho! Jak się pani ma? – zapytała grzecznie leżącego na kwiatku owada.

– Pojęcia nie mam, kim jesteś ani skąd przybywasz, ale proszę cię, byś mnie łaskawie nie obrażała. Muchy są brudne i brzydkie – odpowiedział owad.

– No, ale... przecież ja też jestem muchą!

– Chyba muchą kłamczuchą! Przecież ty jesteś motylem tak jak ja!

– Teraz już rozumiem, dlaczego całymi dniami mówiły mi, że jestem brzydka. I rozumiem też, dlaczego nie smakowało mi ich jedzenie. Nie jestem muchą, tylko motylem! Hurra!!!

# Lipiec

## Kacza mama

### 1   Najczystsza na świecie

W tej części świata, gdzie mieszkają tylko zwierzęta, które mówią, noszą ubrania i w ogóle zachowują się jak ludzie, mieszkała sobie pewna kaczka, która owdowiała i samotnie wychowywała pięcioro kacząłek. Ta kacza mama nie dość, że pilnowała, by jej dzieci były zawsze czyste i lśniące, to jeszcze utrzymywała swój domek w idealnym porządku. Nie mogło być tam nawet najmniejszego pyłku na podłodze i wszystko musiało się świecić. Pracowała bez wytchnienia cały dzień.

### 2   Rajski ogród

Kacza mama oprócz domu miała też ogród, który wprawiał w zachwyt wszystkich wokół. Każdy dziwił się, że ona sama bez niczyjej pomocy doprowadziła ogród do takiego stanu. Były tam kwiaty we wszystkich kolorach i gatunkach, była trawa miękka i zielona, balustrada odmalowana i lśniąca, a nawet cała rodzina skowronków, która mieszkała w gnieździe na dachu i o wschodzie słońca śpiewała piękne piosenki. Mama skowronek była wielką przyjaciółką mamy kaczki i każdego dnia spotykały się na ploteczki.

# Lipiec

## 3 Kaczątka w kąpieli

Po uprzątnięciu domu i ogrodu kacza mama zabierała się za toaletę swoich dzieci. Przygotowywała wielką balię wody z bąbelkami, mięciutką gąbkę i szorowała kaczątka jedno po drugim. Jeden kaczorek nie był zwolennikiem tak wielkiej czystości:

– Ojej, mamusiu! Po co mam mydlić skrzydła, skoro mam czyste?

– Wczoraj tarzałeś się w błocie z braćmi. Chcesz wyglądać jak gliniana kaczka?

I szorowała skrzydełka, główki i uszka każdego ze swych dzieci. To, które najgorzej znosiło kąpiel, było też najmniejsze i najbardziej krnąbrne.

## 4 W parku i w sadzawce

Po kąpieli kacza mama bardzo dostojna i elegancka zabierała na spacer wszystkie swoje kaczuszki, które szły za nią czyściutkie i schludne. Na rączce parasolki niosła ślimaczka strażnika, bliskiego przyjaciela rodziny, który patrzył, czy któryś z malców czegoś nie zbroił. Ach, jak wspaniale było moczyć się w sadzawce!

## 5 Do kolacji!

Kiedy wrócili do domu, kacza mama poszła do kuchni przyrządzić kolację dla swoich pociech. Wszystkie siedziały wokół stołu ze sztućcami w łapkach, czekając z niecierpliwością i wielkim apetytem na smakowite dania, które przygotowywała ich mama.

## 6 Kacza mama w telewizji

Pewnego dnia kaczorek Duduś zawołał do swoich braci:
– Chłopaki, chodźcie szybko! Mama w telewizji!
Wszyscy zastygli w bezruchu, patrząc uważnie z otwartymi dziobami w szklany ekran. W telewizorze prezenter przypinał mamie złoty medal wielki jak księżyc. Została mianowana superkaczką!

# Lipiec

## 7 Niespodzianka

Kiedy Kacza mama wróciła do domu ze złotym medalem, czekała na nią niesamowita niespodzianka. Jej dzieci z pomocą dwóch myszek zrobiły ogromny tort z biszkoptu i kremu. Przystrojony był serduszkami z pokrojonych truskawek i wyglądał tak apetycznie, że zdawał się mówić: „ZJEDZCIE MNIE".

– Mamo – powiedział Duduś – bracia wyznaczyli mnie na mówcę, bo jestem najbardziej gadatliwy. Pragniemy powiedzieć ci, że jesteśmy z ciebie bardzo dumni i że od tej chwili żaden z nas nigdy więcej nie będzie brudny, nieposłuszny ani leniwy.

## Las motyli

## 8 Kolekcjonerka

Marysia miała pewną pasję – uwielbiała zbierać motyle. W jednym z pokoików na piętrze domu znajdowała się jej imponująca kolekcja z wieloma egzemplarzami tych pięknych owadów.

– Ile dzisiaj zebrałaś? – zapytał ją dziadek, który też był miłośnikiem motyli.

– Dzisiaj zebrałam trzy – odpowiedziała Marysia.

– Jednego makaona, jednego apolla i jednego sfinksa. Ale jeśli nie znajdę ani jednego kręgraka, moja kolekcja nie będzie nic warta.

## Pokój więźniów

Sfinks, jak nazywał się jeden z najpiękniejszych motyli na świecie, płakał rzewnymi łzami. Dziś rano zarzucono na niego sieć i przez długi czas trzymano w więzieniu, które zamiast krat miało maleńkie otworki. Teraz leżał na śliskiej podłodze, nie mogąc się ruszyć, wrzucono go bowiem do ogromnego słoja.
– Czy jest tu kto? – pytał drżącym głosikiem.

## Dziewczynka łowczyni

Marysia spacerowała po lesie z siatką na motyle, gdy nagle ujrzała przepiękny oraz siedzący na liściu na środku stawu.
„Ach, co za cudo!" – pomyślała. „Muszę go złowić".
Przygotowała więc swoją siatkę, bardzo ostrożnie wdrapała się na wiszącą nad stawem gałąź i usadowiła się niemal dokładnie nad motylem. Jednak obraz dziewczynki odbił się w wodzie i wspaniały owad umknął swojej łowczyni.

## 11 Marysia i zaginiony motyl

Marysia rozglądała się na wszystkie strony, szukając zaginionego motyla, ale nie mogła go znaleźć. Przepadł jak kamień w wodę.

Jedynymi fruwającymi owadami w okolicy były pszczoły, które śledziły ją, odkąd wyszła z domu.

– Co za dziwy! – mówiła do siebie. – Dlaczego wciąż za mną latają te pszczoły? Pewnie chcą mnie użądlić. Ech, nie, cóż za potworne brednie przychodzą mi do głowy! Lasy, parki, pola i łąki zawsze są pełne pszczół, które latają z kwiatka na kwiatek, żeby zebrać kwiatowy nektar, a potem zrobić miód. Tak więc, moja droga Marysiu, przestań o tym myśleć i zajmij się szukaniem motyli, bo to jest teraz twoim zadaniem.

## 12 Najpiękniejszy motyl świata

Rozglądając się tak w nadziei na znalezienie motyla godnego swojej kolekcji, Marysia ujrzała na pniu drzewa najpiękniejszy okaz, jaki kiedykolwiek widziała w życiu. Kiedy obserwowała go zachwycona, dostrzegła coś dziwnego – motyl patrzył na swoje odbicie w wodzie, jakby przeglądał się w lustrze!

## 13 Łowczyni w akcji

Dziewczynka uniosła siatkę na motyle i kiedy miała ją już zarzucić na nowego więźnia, poczuła, że coś ciągnie ją do tyłu. Odwróciła się i ze zdumieniem spostrzegła, że jakiś robak słusznych rozmiarów trzyma z całych sił koniuszek siatki.

Zobaczyła też, że pszczoły dalej latają nad jej głową. Mimo tego zamieszania piękny motyl dalej spokojnie i nieruchomo siedział na pniu.

## 14 Do ataku!

Zdjąwszy robaka z siatki, Marysia z powrotem ją zarzuciła i kiedy już siatka miała opaść, olbrzymi szerszeń rzucił się na dziewczynkę z najgorszymi zamiarami.

– Ratunku! Pomocy! – krzyczała Marysia.

– Niech mi ktoś pomoże!

– Bardzo ci dziękuję! – powiedział do szerszenia dumny motyl.

# Lipiec

## 15 Złowiona łowczyni

Wkrótce niebo pociemniało od chmary pszczół i szerszeni, która zaczęła gonić Marysię. Dziewczynka była już pewna, że umrze od ich żądeł.

– Co ja wam takiego zrobiłam? – pytała rozpaczliwie, uciekając.

– Chciałaś złowić królową motyli! A wcześniej złowiłaś już damę jej dworu. Wypuść ją!

Marysia przybiegła do domu i szybko wypuściła sfinksa. Odtąd nie uwięziła już nigdy żadnego motyla.

## Trocinowe laleczki

## 16 Dziadek Antoni

Dawno, dawno temu w pewnym wielkim i dalekim mieście była dzielnica, gdzie sprzedawano tylko zabawki. Mieszkał tam i pracował pewien staruszek, który nie wiedział jeszcze, co to takiego jest postęp. Nie wiedział też, że są fabryki zabawek, które oferują dzieciom wciąż nowe i bardziej ulepszone lalki, samochodziki czy klocki.

## 17 Lalki szmacianki

Staruszek ten imieniem Antoni dalej robił zabawki swoimi własnymi rękoma, jedną po drugiej. Nie zważając na nic, szył i szył szmaciane korpusy zadowolony z życia. Czasami wychodziły one nieco połatane, bo nie starczało materiału. Kiedy już były gotowe, wypełniał je trocinami i zabierał na targ, żeby je sprzedać.

## 18 Wszyscy są smutni

Pewnego dnia dziadek Antoni zorientował się, że już od bardzo dawna nie sprzedał ani jednej zabawki, i tak się zasmucił, że aż z oczu popłynęły mu wielkie łzy.
– Co się ze mną stanie, jeśli nie będę już sprzedawać moich zabawek? I co będzie z moimi kochanymi lalkami, jak się dowiedzą, że dzieci już ich nie chcą? – żalił się staruszek. Ale taka była smutna prawda. Dzieci rzeczywiście nie chciały już słyszeć o tych laleczkach, którym widać było szwy.

# Lipiec

## 19 Zamknięci w warsztacie

Pan Antoni nie chodził już ze swoimi laleczkami na targ. Było bardzo zimno i padał śnieg, po co więc miałby gdzieś wychodzić, jeśli i tak nikt nie kupował laleczek. Mijały dni, a dziadek i jego zabawki stawali się coraz smutniejsi.

– Dlaczego jesteście tacy zmartwieni? – zapytała ich mysz.

– Bo nie wychodzimy już nawet na ulicę – odpowiedział szmaciany króliczek. – A poza tym dziadek Antoni, który nas uszył i wypełnił z czułością trocinami, jest smutny, bo myśli, że nikt już nas nie chce.

## 20 Niebieski duszek

Pewnej nocy wleciał do warsztatu chochlik z czarodziejską różdżką w ręku.

– Nie musicie się martwić, że dzieci was nie chcą – powiedział do lalek. – Teraz w modzie są zabawki mechaniczne, które tak naprawdę szybko się psują. Ta moda szybko minie, a wy zawsze będziecie tutaj, żeby dotrzymać towarzystwa jakiemuś dziecku.

I zamachał swoją różdżką, a na szmaciane laleczki spadł deszcz niebieskich gwiazdek, który sprawił, że poznikały z nich wszystkie szwy.

## 21 Wesołe laleczki

Nie mogły w to uwierzyć! Patrzyły na siebie wzajemnie, szukając starych łat, ale nie znalazły ani jednej. Wyglądały jakby były prawdziwe, z krwi i kości. Zaczęły się więc bawić, robiąc wieżę. Żadna mechaniczna zabawka nie mogłaby im dorównać.

– Patrzcie, patrzcie, drodzy przyjaciele! – zawołał pełen szczęścia wesoły pajac. – Patrzcie, jak trzymam piłkę na nodze, jak wiszę głową do dołu.

– A ja jestem silny jak niedźwiedź! – powiedział, śmiejąc się, króliczek. – Mogę trzymać cię na głowie, chociaż ważysz dużo więcej niż ja!

## 22 Zdumienie dziadka Antoniego

Kiedy wstał nowy dzień, dziadek wszedł do warsztatu, żeby przywitać swoje laleczki. Stanął całkiem osłupiały.

– Jak to możliwe? – zapytał. – Nie jesteście już lalkami! Ruszacie się, śmiejecie i zachowujecie tak, jakbyście były prawdziwe. Moje kochane laleczki! Stałyście się najlepszymi zabawkami na świecie! To jest cud! Nigdy nie byłem tak szczęśliwy jak dziś!

## 23 Cud w mieście

Tego dnia znów wyszli na targ i rozłożyli się na straganie, przy którym zwykle nikt się nie zatrzymywał. Laleczki tańczyły, bawiły się, robiły wieżę i gawędziły. A wszystkie dzieci stanęły i podziwiały je z otwartymi buziami. Każde dziecko chciało zabrać do domu jedną z tych zabawek. Zastanawiały się, czy ma to być słoń, czy piesek, czy pajac, czy też może króliczek... Wszystkie im się podobały! A niebieski duszek schowany za straganem, wyczarowywał wciąż nowe zabawki, żeby ich nie zabrakło. I dlatego dla wszystkich starczyło laleczek, w które dziadek Antoni włożył tyle miłości.

## Piperyn

## 24 Krasnoludek, który chciał być olbrzymem

W pewnym pięknym grzybie rosnącym w kasztanowym lesie mieszkał sobie mały chochlik Piperyn, dziki, ale bardzo sympatyczny. Był jedynym chochlikiem w lesie, lecz nigdy nie czuł się samotny. Przyjaźnił się z leśnymi zwierzętami, jadał z nimi śniadania, obiady i kolacje, z nimi spał i bawił się do utraty tchu, aż wszyscy padali zmęczeni na jego łóżko.

## 25 Życie jest piękne!

Każdego ranka wschodzące słońce uśmiechało się do Piperyna i jego przyjaciół, dając im wyjątkowe ciepło i światło.

W lesie żyło się wspaniale. Nie trzeba było się tam troszczyć o nic: ani o szukanie jedzenia, ani o zbieranie chrustu, by rozpalić ogień i ugotować obiad. Każdego dnia po śniadaniu mieszkańcy lasu prali swoje ubrania w stawie i wszyscy razem wywieszali je na słońcu, żeby wyschły. Byli z nich wspaniali przyjaciele. Najpierw każdy zrobił swoją pracę, a potem wszyscy bawili się do wieczora, aż zmęczeni zasypiali.

## 26 Nowy przyjaciel

Pewnego dnia w lesie pojawiło się nieznane nikomu zwierzę, które wystraszyło ich nie na żarty. Miało ogromny łeb otoczony mnóstwem długich, gęstych włosów, wielkie łapy, a na nich pazury ostrzejsze niż kolce ostu.

– A kim ty jesteś? – zapytał Piperyn. – Takiego zwierzęcia jeszcze nigdy nie widzieliśmy.

– Jestem skarlałym lwem. W moim stadzie wszystkie lwy są dziesięć razy większe niż ja. Moi rodzice powstydzili się syna karła i wygnali mnie. Przybywam z bardzo daleka i nie spotkałem dotąd nikogo, kto zechciałby zostać moim przyjacielem.

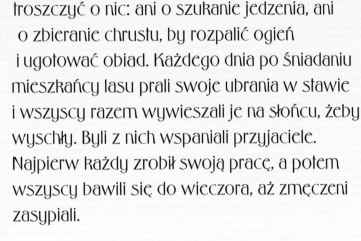

# Lipiec

## 27 Chciałbym być duży

Wtedy właśnie pierwszy raz w swoim życiu Piperyn pomyślał o wielkości, a to z powodu spotkania tego lwa, który mówił, że jest karłem i że przybywa ze stron, gdzie zwierzęta są dziesięć razy większe od niego. „Chciałbym być taki duży – pomyślał Piperyn. – Odwiedzę ślimaka czarownika".

– Ślimaku czarowniku, bardzo cię proszę, wymów zaklęcie, żebym bardzo urósł.

– Jesteś głupi jak koza, Piperynie. Ale skoro tak bardzo chcesz, to proszę bardzo, wypij łyczek z tej buteleczki.

I chochlik wypił ponad połowę butelki, po czym zaczął rosnąć i rosnąć.

## 28 Piperyn – krasnal gigant

Urósł tak bardzo, że kiedy patrzył na ziemię, to ślimak czarownik i grzybek, na którym siedział, wydali mu się maluteńcy. Jego przyjaciele, leśne zwierzęta, uciekali przed nim ledwo żywi ze strachu, podczas gdy Piperyn zachwycony swoimi nowymi, nieprzeciętnymi rozmiarami bawił się, robiąc wielgachne susy, od których ziemia drżała. Gdy tak tańczył swój dziki taniec, z oddali dobiegł go ledwo słyszalny głosik: –Proszę! Przestań już tańczyć. Czy nie widzisz, że drzewa się od tego przewracają?

## 29 Samotny chochlik

Piperyn poczuł się szczęśliwy z powodu swojego nowego wzrostu. Uwielbiał patrzeć, jak wyglądają drzewa z góry i zrywać owoce bez trudu. Wreszcie chciał wejść do swojego domku.

– Och, nie! Nie mogę wejść do mojego grzybka, jestem za duży!
– zawołał chochlik i rozpłakał się pod drzwiami, przez które nie mógł wejść.

– Nie płacz, Piperynie – powiedział do niego zajączek ukryty w liściach rośliny opodal domu chochlika. – Wszyscy się pochowaliśmy, bo bardzo się ciebie boimy. Jesteś taki wielki... Nie rozumiesz, że możesz nas niechcący podeptać i rozgnieść na miazgę?

## 30 Skrucha

Płacząc rzewnymi łzami, Piperyn udał się do ślimaka czarownika, żeby znów prosić go o pomoc.

– Ślimaku czarowniczku – powiedział, szlochając – bardzo cię proszę, przywróć mi mój dawny wygląd.

– Mój dom... stał się bardzo mały, a moi przyjaciele boją się, żebym ich nie podeptał.

– Dobrze, masz tu inną buteleczkę i pij
– ulitował się czarownik.

Piperyn pociągnął porządny łyk i w mgnieniu oka znów stał się malutki jak fasolka.

# Lipiec

## 31 Znowu szczęśliwi

W tej samej chwili, w której chochlik odzyskał swój naturalny rozmiar, ze wszystkich zakątków lasu zaczęli wychodzić jego starzy przyjaciele. Byli bardzo szczęśliwi i świętowali powrót Piperyna do dawnego wyglądu. A on zrozumiał wtedy, że szaleństwem było chcieć być większym niż pozostali. Przekonał się, że nic nie jest tak wartościowe jak przyjaźń, i postanowił już nigdy nie myśleć w życiu o głupstwach takich jak wygląd. I w ten oto sposób życie w kasztanowym lesie potoczyło się dalej jak do tej pory.

# Sierpień

## Calineczka

### 1. Dziewczynka, która urodziła się w kwiatku

Pewna kobieta z całego serca pragnęła mieć dziecko, ale mijały lata, a dziecko nie przychodziło na świat. Poszła więc do Fatimy, która była dobrą czarodziejką, a ta dała jej nasionko i rzekła:
– Zasadź je w doniczce, a spełni się twoje marzenie.
Kobieta zasadziła więc ziarenko i na trzeci dzień pojawił się pączek ślicznego kwiatu. Kiedy się otworzył, oczom jej ukazała się dziewczynka najpiękniejsza i najmniejsza, jaką można sobie wyobrazić. Ponieważ była tak malutka, że nie mierzyła nawet cala, jej mama nazwała ją Calineczką.

### 2. Brzydka ropucha

– Jaka cudowna jest moja córeczka! – mówiła często kobieta.
– Gdyby była trochę większa, nie martwiłabym się, że ktoś niechcący ją nadepnie.
Pewnej nocy, gdy Calineczka spała w swojej malutkiej kołysce zrobionej z łupiny orzecha, przez okno wskoczyła odrażająca ropucha. Patrzyła na śliczną Calineczkę i powiedziała:
– Co za przepiękna dziewczynka! Wezmę ją sobie do sadzawki, żeby została narzeczoną mojego syna.

##  Ryba ratuje Calineczkę

Ropuchy umieściły Calineczkę w kwiecie na środku stawu, żeby nie mogła uciec. Kiedy dziewczynka obudziła się, przejął ją strach.

– Mamo, mamusiu! – krzyknęła, ile sił w płucach.

– Jestem na środku stawu i nie umiem pływać. Proszę, niech mi ktoś pomoże!

Jakaś kolorowa ryba, która akurat tamtędy przepływała, zabrała Calineczkę razem z kwiatkiem na stały ląd.

– Uważaj na siebie, dziewczynko – rzekła opiekuńcza ryba.

– Bardzo dziękuję za ratunek, pani rybo – powiedziała wdzięczna Calineczka.

##  Dobry motyl

Później do kwiatka podleciał barwny motyl, który bardzo się zdziwił, ujrzawszy na nim dziewczynkę.

– A kim ty jesteś? – zapytał.

– Na imię mi Calineczka, ale nie wiem, gdzie jest mój dom. Zgubiłam się.

– To wsiadaj na mój grzbiet. Zabiorę cię na przejażdżkę po niebie.

I motyl woził ją, odwiedzając rozmaite miejsca, aż nadeszła zima i musiał odlecieć w cieplejsze strony. Wcześniej jednak zostawił dziewczynkę ciepło opatuloną w norce polnej myszy.

## 5 W mysiej norce

Calineczka pościeliła sobie łóżko w norce i położyła się spać.
Zbudził ją potworny hałas. Gdy otworzyła oczy, ujrzała
płaka, który wpadł do norki ledwo żywy
z głodu i zimna. Dziewczynka zaopiekowała
się nim, leczyła i karmiła, aż całkiem
wydobrzał. Kiedy nadeszła wiosna, ptaszek
pożegnał się ze swoją wybawczynią
słowami:
– Calineczko, byłaś dla mnie bardzo dobra
i okazałaś mi wiele serca. Jeśli więc kiedyś
będziesz mnie potrzebować, zawołaj tylko:
„Przybądź, ptaszku!".
– To zabierz mnie ze sobą, ptaszku! – poprosiła Calineczka.

## 6 Kraina małych ludzików

Ptaszek zabrał więc przyjaciółkę do swojego kraju. Było tam pełno
kwiatów we wszystkich kolorach tęczy i na jednym z nich ptaszek
miękko posadził Calineczkę. Kiedy dziewczynka wychyliła się
ponad płatki kwiatu, ze zdumieniem ujrzała,
że w każdym z nich siedzi mały ludzik
takiego rozmiaru jak ona. Ptak, który
krążył nad kwiatem, powiedział do niej:
– To jest miejsce, z którego ty pochodzisz.
Żeby mieć dziecko, twoja mama zasadziła
ziarenko w doniczce i z tego ziarenka
wyrósł pąk, a w środku byłaś ty.
Calineczko, to twój kraj, to twoi rodacy!

# Sierpień

## 7 Piękny książę

Ptaszek przedstawił jej wszystkich mieszkańców tego fantastycznego kraju. Byli mali jak ona i mieli na plecach malutkie skrzydełka, które pozwalały im fruwać z jednego kwiatka na drugi. Na grzybku, który wyglądał jak domek, siedział sobie młodzieniec piękny jak ze snu. Był on księciem tego kraju i zakochał się w Calineczce od pierwszego wejrzenia i zaraz poprosił ją o rękę.

## 8 Księżniczka Szafir

W zaślubinach uczestniczyli wszyscy mieszkańcy kraju. Jako prezent ślubny książę ofiarował swojej narzeczonej przepiękne skrzydełka, które mieniły się wszystkimi kolorami tęczy. Kiedy je założyła, książę rzekł:

– Mój mały kwiatuszku, tutaj nie jesteś już osobą mniejszą od innych, ale taką jak wszyscy. Chciałbym więc, abyś zmieniła imię. Czy mógłbym nazywać cię Szafir?
I tak z nowymi skrzydełkami i nowym imieniem w towarzystwie męża księcia i przyjaciela ptaszka księżniczka Szafir pofrunęła zwiedzać swój nowy kraj.

# Biedny szewc

## Szewc i skrzaty

W starej dzielnicy bardzo starego miasta żył sobie raz pewien szewc. Był tak biedny, że nie mógł nawet kupić skóry, żeby szyć buty. Minął już ponad tydzień, odkąd sprzedał ostatnią parę butów, ale ponieważ musiał spłacić długi, które miał u piekarza i mleczarza, oraz opłacić czynsz za dom, został bez grosza. Siedząc przy swoim warsztacie, myślał i myślał:

– Co ja teraz zrobię, jak tu żyć? Mógłbym poprosić znowu o jedzenie na kredyt, ale to oznacza tylko jedno – chleb na dzisiaj i głód na jutro. Jeśli nie kupuję skóry, nie mogę szyć butów, a jeśli nie mogę szyć butów, nie mogę ich sprzedawać i nie mam pieniędzy. Wielkie nieba, cóż za błędne koło! Najlepsze, co mogę teraz zrobić, to położyć się spać, a jutro... Zobaczymy, co będzie jutro.

# Sierpień

## 10 To są czary!

Następnego dnia szewc, gdy tylko wstał z łóżka, poszedł do swojego warsztatu, chociaż dobrze wiedział, że nic ciekawego tam nie znajdzie. Lecz...

– Och! Co za cud! Nie mogę w to uwierzyć!

Nie, nie myślcie, że szewc oszalał z niedoli. Na podłodze stała para butów z przepięknymi kokardkami. Pantofelki były tak cudne, że żaden szewc, nawet najlepszy, nie mógłby ich wykonać.

– Musiało stać się coś dziwnego, jakieś czary! – powiedział szewc. – To pewnie jakiś czarodziej przyniósł mi te buty, żeby wyciągnąć mnie z nędzy.

## 11 Początek szczęścia

Szewc przygotował wystawę swojego sklepu, na której buciki lśniły blaskiem niczym prawdziwe klejnoty. W kilka chwil po otwarciu sklepu pewien bardzo bogaty fabrykant zatrzymał się przed wystawą olśniony i od razu wszedł, by spytać o cenę tych niezwykłych butów.

– Nawet sam nie wiem, ile mógłbym za nie zażądać – odparł szewc.

– Nie będziemy się więc targować. Proszę, oto worek pełen złotych monet.

I wręczając zdumionemu szewcowi wór złotych monet, zamożny fabrykant oddalił się niezwykle zadowolony z zakupu.

## 12 Magia działa dalej

Zapadła noc i szczęśliwy rzemieślnik położył się do łóżka po wybornej kolacji. Sen miał spokojny, a kiedy nadszedł ranek, poszedł rzucić okiem na warsztat, jak to robił zazwyczaj. I znowu stanął z otwartymi ustami, ujrzawszy powtórny cud. W warsztacie znajdowała się następna para trzewików, jeszcze piękniejszych niż te z poprzedniego dnia. Rozświetlały swoim pięknem całe pomieszczenie.

## 13 Pracowite skrzaty

Każdego dnia szewc znajdował w warsztacie na stole nową parę butów, a każde następne były piękniejsze od poprzednich. Pewnej nocy nie wytrzymał z ciekawości i postanowił ukryć się, by podpatrzeć, co się dzieje. Po niedługiej chwili ujrzał dwa skrzaty, które cięły skórę i bardzo szybko szyły parę wspaniałych butów.
– Och! – zawołał szewc zdumiony. – To te małe stworzonka mi pomagają! Nic nie robią, tylko pracują, a mają na sobie tak marne ubranka, że zaraz chyba zamarzną.

# Sierpień

## 14 Wdzięczność szewca

Następnego ranka szewc zamknął warsztat i udał się do sklepu z ubraniami dla dzieci. Nakupił masę strojów i trzewiczków, żeby odziać swoich małych przyjaciół, którzy biegali po świecie, świecąc gołą stopą.

– Oni wyciągnęli mnie z nędzy – mówił sobie na głos szewc, idąc ulicą objuczony paczkami.

– Najważniejsze, że nie prosiłem ich o to. Oni sami, chociaż tacy malutcy, uszyli mi najpiękniejsze buty na świecie. I nie zażądali niczego w zamian!

## 15 Wesołe skrzaty

Po kolacji szewc ułożył na stoliku w warsztacie wszystkie prezenty i skrył się za zasłoną w oczekiwaniu na swoich małych przyjaciół. Po chwili pojawiły się skrzaty i zaczęły skakać ze szczęścia na widok tak wspaniałych ubrań.

– W ten sposób szewc chce nam podziękować – powiedział jeden. – Wydaje mi się, że możemy już go zostawić, bo nie potrzebuje więcej pieniędzy.

– Zgadzam się – dodał drugi. – Chodźmy teraz pomóc innemu, który jest w gorszej biedzie. Może też będzie taki dobry i wdzięczny jak ten.

## 16 Z powrotem w robocie

Dzięki pomocy skrzatów szewc zdobył sporą ilość złotych monet, wystarczająco dużo, żeby już nigdy w życiu nie musieć pracować. Ale ponieważ był człowiekiem uczciwym i odpowiedzialnym, nie porzucił swoich klientów, którzy sprawili, że jego warsztat stał się najważniejszy w mieście. Dlatego właśnie dalej prowadził swój sklep i wkładał całe swoje serce i zdolności w to, by szyć buty tak piękne, jak robiły to skrzaty, którym zawdzięczał swoją fortunę.

## Wilk i siedem koziołków

## 17 Przestrogi mamy

– Dzieci – powiedziała mama Koza do swoich siedmiu koziołków – idę na targ po zakupy. Słyszałam, że wilk grasuje w naszej okolicy, uważajcie więc.
– Nie martw się, mamusiu – powiedział najmniejszy z koziołków. – Nie ruszymy się z domu.
– Nie wystarczy tylko nie wychodzić z domu. Nie możecie też otwierać obcym drzwi – przestrzegała mama.

## 18 Zły wilk

Mama koza miała całkowitą rację, kiedy przestrzegała dzieci przed straszliwym wilkiem, gdyż był to zwierz drapieżny i niebezpieczny, który wiedział, jak oszukać swoje ofiary. Ledwo mama koza wyszła z domu, a wilk, który obserwował ją ukryty za drzewem, podszedł do drzwi domu i leciutko w nie pukając, zawołał:

– Otwórzcie, moje dzieci, Otwórzcie! To ja, wasza mama!

I czekał pod zamkniętymi drzwiami, aż koziołki mu otworzą, a ślina ciekła mu z pyska.

## 19 Roztropny koziołeczek

Najmniejszy z koziołków podszedł do drzwi i powiedział do wilka:
– Nie otworzymy! Nasza mama ma cienki i miękki głos, a ty nie!
Wilk poszedł więc na farmę i zjadł parę tuzinów jajek. Kiedy jego głos stał się łagodny, wrócił pod drzwi domku

koziołeczków i powiedział:
– Otwórzcie, dzieci, jestem waszą mamą!
– Zobaczymy – odpowiedział jeden z nich – pokaż nam kopytko!
Wilk wsunął łapę przez szparę, a roztropny koziołeczek zawołał:
– Kłamiesz! Nasza mama ma nóżki białe jak śnieg, a ty masz czarne jak węgiel!

## 20 Wilk u młynarza

Wilk zagniewany, bo był już bardzo głodny, pobiegł szybko
do młyna i bardzo nieuprzejmie odezwał się
do młynarza:

– Wrrr..! Posyp mi mąką wszystkie cztery
łapy, żeby były białe jak śnieg. Jak nie
posypiesz, to tak cię palnę, że
zobaczysz wszystkie gwiazdy.
Młynarz, widząc wściekłego wilka,
potwornie się przeląkł i obsypał
wszystkie jego cztery łapy mąką,
aż stały się bielsze niż mleko.

## 21 Oszukane koziołki

Zły wilk wyszedł z młyna, pobiegł do domku koziołków i znów
zapukał do ich drzwi.

– Otwórzcie, moje dzieci, jestem waszą mamą!
– powiedział głosem cienkim i delikatnym.
– Pokaż kopytko – powiedział mały koziołek, który
ciągle był nieufny.

Wilk wsunął łapę przez szparę,
a koziołeczek zobaczył, że jest biała,
i uwierzył, że to kopytko jego mamy.
Otworzył więc drzwi. Wszystkie zdjął
potworny strach na widok wilka
i w popłochu chowały się po kątach.

# ierpień

## 22 Koziołki pożarte przez wilka

Wilk ruszył za koziołkami i zjadał jednego po drugim. Ale choć miał świetny węch, najmniejszy koziołek zdołał się przed nim skryć. Wilk wyszedł z domu obżarty i z pełnym brzuchem i zrobił się straszliwie senny. Położył się więc na trawie, po czym zasnął jak kamień.

Gdy mama koza wróciła do domu, zastała otwarte drzwi. W środku wszystko było poprzewracane i ani śladu jej siedmiu synów!

– Och, mój Boże, co za nieszczęście! – zawołała z płaczem. – Wilk tu był i zjadł moje koziołeczki. Co ja teraz pocznę? Chyba umrę z żalu.

## 23 Mama koza znajduje rozwiązanie

Słysząc swoją mamę, najmniejszy koziołek wyszedł z ukrycia i powiedział do niej:

– Mamusiu, nie martw się, wilk dopiero co poszedł i nie mógł daleko uciec.

Wyszli na łąkę i wkrótce posłyszeli przeraźliwe chrapanie. Wilk spał twardo pod gołym niebem. Mama koza wyjęła z kieszeni ogromne nożyce, rozcięła mu brzuch i jeden po drugim wyszli z niego wszyscy jej synkowie.

– Przynieście mi teraz siedem kamieni, największych, jakie znajdziecie.

Kiedy je dostała, wypełniła nimi wilczy brzuch.

## 24. Żegnaj, wilku!

Koza z dziećmi ukryła się teraz w lasku. Kiedy wilk się zbudził, usłyszała, jak mówi:

– Ufff! Coś strasznego, jak mi się chce pić! Te koziołki są bardzo ciężkie, czuję się, jakbym zjadł kamienie.

Podszedł do rzeki i pochylił się, żeby się napić. Ale ponieważ kamienie były bardzo ciężkie, wpadł do rzeki na samo dno i już nie wypłynął. Koziołeczki zaczęły śpiewać i tańczyć z radości i odtąd żyło im się spokojnie i szczęśliwie.

# Syrenka z błękitnego morza

## 25. Na dnie morza

W największych głębinach morskich mieszkała sobie raz piękna syrenka, która żyła szczęśliwie. Wszyscy mieszkańcy morza bardzo ją kochali. Uwielbiali na nią patrzeć, bo była prześliczna: miała długie złote włosy, wielkie niebieskie oczy, a ogon najpiękniejszy ze wszystkich morskich stworów.

Pewnego dnia na dno morza upadła kartka z gazety.

##  Pochlebcy

Na stronie gazety był wielki nagłówek: „OGŁASZA SIĘ KONKURS NA MISS ŚWIATA".

– Co to jest Miss Świata? – zapytała syrenka.

– Miss Świata to najpiękniejsza kobieta, jaka istnieje – powiedział wszystkowiedzący koralowiec.

– A dlaczego ty nie weźmiesz udziału w wyborach? Jesteś taka piękna – powiedział wąż morski.

– Syrenko – doradził jej rak pustelnik – nie zwracaj uwagi na te pochlebstwa. Twoim domem jest morze. Nie masz czego szukać na lądzie.

##  Niebezpieczne sny

Wyobraźnia syrenki zaczęła jednak działać. Widziała już siebie w zrobionej z diamentów koronie i w jedwabnej szarfie z napisem „Miss Świata". Siedziała sobie na złotym tronie, na atłasowych poduszkach ozdobionych kwiatami. Ludzie podziwiali ją oszołomieni i znosili jej stosy darów i chojne prezenty. U stóp jej tronu klękali królowie wszystkich państw i podziwiali jej urodę.

– Co za wizja! Zgłoszę się do konkursu miss świata! – powiedziała do siebie syrenka.

## 28 Przyjacielska rada

Było już postanowione! Syrenka miała wypłynąć na powierzchnię, żeby zaprezentować się w wielkim konkursie, w którym wybierano najpiękniejszą kobietę na świecie. Kiedy pływała przy dnie morza, słyszała ciągle słowa kolorowych ryb:

– Jesteś najpiękniejsza!

Jeden tylko rak pustelnik, stary jak świat, doradzał jej, żeby została:

– To prawda, że jesteś bardzo ładna, ale nie zapominaj, że należysz do morza.

## 29 Głos doświadczenia

Syrenka wyruszyła w podróż do mórz południowych, żeby odwiedzić swoją przyjaciółkę żółwicę.

– Przybyłam do ciebie, bo wybieram się na konkurs organizowany na lądzie. Będą to wybory najpiękniejszej kobiety świata.

– Wydaje mi się to straszliwą głupotą.

– Dlaczego tak mówisz?

– Widzisz, moja droga. Na lądzie jest strasznie gorąco i wysusza ci się ciało. Ale jeśli się tak upierasz, wsiądź na moją skorupę i możemy pojechać tam już teraz na wycieczkę, a sama się przekonasz.

## 30 Złota taca

– O rety! – powiedziała syrenka, czołgając się z trudem po plaży. – Rzeczywiście, żółwica miała rację. To życie na lądzie jest bardzo niewygodne.

Po jakimś czasie wpełzła do pokoju, który okazał się być kuchnią. Jak tylko kucharze ją zobaczyli, od razu się na nią rzucili, a gdy ją złapali, szef kuchni powiedział:

– Ten znakomity okaz leszcza zaserwujemy delegacji japońskiej.

A więc była leszczem?! Ułożyli ją na posłaniu z alg, otoczyli ostrygami, pędami bambusa, pomidorami i sałatą i mieli zamiar podać ją na stół na złotej tacy.

## 31 Ucieczka

Syrenka uciekła z kuchni i znalazła się w salonie, gdzie zebrało się już szacowne jury konkursu.

– A co tutaj robi ten dorsz? – zapytał mistrz ceremonii. – Do kuchni z nim, tam jest miejsce ryb!

Syrenka zdołała wypełznąć stamtąd i uciekła do portu, gdzie czekała na nią żółwica.

– Och, żółwico, moja droga przyjaciółko! – załkała żałośnie. – Miałaś absolutną rację, ludzie są przerażający. Proszę cię, zabierz mnie na dno morza!

# Wrzesień

## 1 W morzu żyje się lepiej

Po powrocie na morskie dno syrenka wyprawiła przyjęcie, żeby uczcić swój szczęśliwy powrót do domu. Zaprosiła wszystkich przyjaciół.

– Ojej, moja syrenko! – powiedział krab stary jak świat. – Widzisz, miałem rację. My, morskie stwory, nie mamy nic wspólnego z ludźmi.

– Byłam głupiutka, że cię nie posłuchałam. Tu jestem syreną i mam przyjaciół, a tam, na ziemi jestem tylko rybą do zjedzenia przez Japończyków.

## Wędrowniczek

## 2 Chłopiec z akordeonem

Pewien chłopiec, który był bardzo biedny, przyszedł na targ poprosić o coś do jedzenia. Kobieta gotująca ośmiornice dała mu jeść i rzekła:

– Hej, chłopcze! Chodzisz sobie od miejsca do miejsca jak jakiś wędrowniczek. Jak cię kto spyta, jak się nazywasz, to powiedz, że Wędrowniczek, i pamiętaj o nas.

– Zrobię ci prezent – powiedziała inna dobra kobieta. – Ten akordeon należał do mojego braciszka. Weź go sobie, może pomóc ci zarobić na chleb.

DO MIASTA

# Wrzesień

## 3 Przygotowania do koncertu

I Wędrowniczek ruszył w drogę. Pierwszy postój zrobił sobie w małym miasteczku, gdzie był przepiękny rynek.

– To jest znakomite miejsce na mój pierwszy koncert akordeonowy – powiedział chłopiec do swojego psa. – Za tym daszkiem możemy schować nasze manatki.

I jak powiedział, tak zrobił. Wyjął z worka chleb, który dostał na drogę, kość dla swojego wiernego psa Leona i wreszcie, bardzo ostrożnie i z wielką nadzieją na to, że uda mu się zarobić trochę pieniędzy, wyjął akordeon. Instrument był naprawdę piękny: cały zielony z mnóstwem błyszczących klawiszy na przemian czarnych i białych.

## 4 Próba generalna

– Nie sądzisz, Leonie, że w tak pięknym miasteczku jak to musi mieszkać mnóstwo miłośników muzyki? – rzekł chłopiec.

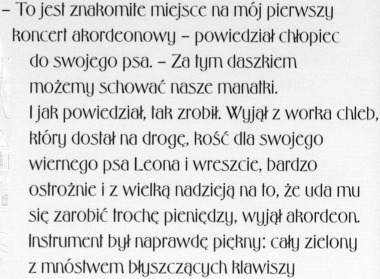

– Hau, hau! – zaszczekał potakująco Leon, machając ogonem na wszystkie strony. Wędrowniczek zrobił taką minę, jakby był wirtuozem gry na akordeonie, i rozciągnął z całej siły instrument. Kiedy go zamykał, naciskając jednocześnie na wszystkie klawisze bez ładu i składu, zaczęły płynąć z niego potworne dźwięki, jakby naraz skrzypiało tysiąc nienaoliwionych drzwi. Piesek Leon rzucił się na ziemię i zatkał uszy łapkami, słysząc ten piekielny hałas.

## 5 Koncert

Straszliwe odgłosy dochodzące z rynku obudziły mieszkańców miasteczka, którzy właśnie drzemali po obiedzie. Wszyscy myśleli, że to jakieś duchy powyłaziły ze swoich kryjówek w środku dnia i wyją wniebogłosy. Kiedy przekonali się, że wszystkie te hałasy robił jeden chłopiec z akordeonem, zaczęli rzucać w niego pomidorami, ziemniakami i czym tylko się dało.

– Leonie – powiedział Wędrowniczek do swojego psa – nie powiodło mi się jako muzykowi, ale to wszystko, czym w nas rzucono, starczy nam za posiłek na cały tydzień albo i dłużej.

## 6 Co za szkoda!

Gdy nadszedł wieczór, jakaś gromadka siedziała na przedmieściach miasteczka. Wszyscy płakali – Wędrowniczek, jego piesek Leon, a także dwie myszki, które zamieszkały w węzełku chłopca.

– Co za katastrofa, Leonie! – chlipał Wędrowniczek.

– Wcale nie spodobał im się koncert. A tak marzyłem o tym, że zostanę wspaniałym muzykiem. Sądziłem, że dając koncerty na rynkach wszystkich miast, będę zarabiał dużo pieniędzy, a tu, proszę, nie stać nas nawet na najtańszy hotelik!

# Wrzesień

## 7 Anioł Stróż

Wszystkie dzieci mają swojego Anioła Stróża. Wędrowniczek też go miał i gdy ten usłyszał zawodzenie malca, pojawił się w środku nocy z koszem ze złota, w którym przydźwigał nuty wszystkich utworów muzycznych, jakie tylko są na świecie. Kiedy chłopiec i jego piesek zasnęli, aniołek wysypał na nich wszystkie nuty z koszyka. Tysiące srebrnych nut spadło na głowę chłopca, wślizneło się do niej przez uszka i zostało w środku, układając się w przepiękne melodie. W jednej chwili Wędrowniczek zamienił się w najznakomitszego muzyka zdolnego grać na każdym instrumencie.

## 8 Wielki koncert

– Dziś jest niedziela i wszyscy przyjdą posłuchać naszej muzyki – powiedział chłopiec do swoich przyjaciół. – Nie bójcie się, umiem już grać na akordeonie. Kiedy skończę, ty, Leonie, przejdziesz się wśród ludzi z kapeluszem, żeby wrzucali do niego pieniążki. Zobaczycie, że od dziś zaczniemy zarabiać na życie, podróżując od miasta do miasta i dając koncerty.
Kiedy na wieży ratusza wybiła godzina dwunasta, Wędrowniczek stanął na środku głównego placu, wyjął akordeon i zaczął wygrywać melodie, którymi aniołek napełnił mu głowę.

## Szczęśliwy artysta

Gra Wędrowniczka tak bardzo się spodobała, że ludzie dali mu mnóstwo pieniędzy. Wystarczyło to na kupno wozu, którym mógł podróżować ze swoim pieskiem i myszkami. Na wozie leżał też schowany w specjalnym pokrowcu akordeon. Koniec z węzełkiem, dziurawymi butami i spaniem pod gołym niebem. W swoim wspaniałym wozie Wędrowniczek i jego przyjaciele mieli sypialnię z wygodnym łóżkiem dla każdego z nich. I tak, podróżując od miasta do miasta, od wsi do wsi, Wędrowniczek dawał ludziom radość słuchania przepięknej muzyki, która płynęła z jego akordeonu.

# Bezdomne wiewiórki

## Wiewiórki płaczą

Pani Orzeszek, ruda wiewiórka, mieszkała wygodnie w dziupli ogromnego kasztanowca, gdzie urządziła sobie bardzo cieplutki i przytulny domek. Żyła tam szczęśliwie z trojgiem dzieci. Ale pewnego dnia ich mieszkanie nagle zwaliło się na ziemię, co potwornie przeraziło wiewiórki. Winnym tego był pewien drwal, który bez namysłu ściął drzewo z ich dziuplą.

# Wrzesień

## 11 Drwal

Drwal szedł dalej leśną ścieżką, szukając innych drzew do ścięcia. Potrzebne było mu drewno, bo zamówiła je fabryka mebli, która miała wykonać stoły i krzesła dla restauracji, jaką planowano otworzyć w miasteczku. Szukał też chrustu na opał do kominków i do palenisk, bo prowadził sklep „Magazyn palików i pieńków najlepszej jakości".

– Dzisiaj zetnę może nawet siedem drzew – mówił wesoło drwal. – Pnie pójdą do fabryki mebli, a gałęzie wypełnią mój magazyn na całą zimę.

## 12 Bezmyślny topór

Po zjedzeniu drugiego śniadania, drwal zabrał się do rąbania następnego drzewa, nie widząc, że z dziupli wychyla się pani Migdałek. Była to wiewiórka już starsza wiekiem, która o mało co nie umarła ze strachu z powodu tych strasznych wstrząsów w jej domu. Drwal ani trochę nie przejmował się tym, że w drzewach, które rąbał, mieszka wiele rodzin leśnych zwierząt. Myślał jedynie o swoich interesach, o tym, żeby zdobywać więcej i więcej drewna, żeby sprzedać je fabrykom i zarobić w ten sposób dużo pieniędzy.

## 13 Ucieczka

Wiewiórka, która śledziła z ukrycia poczynania drwala, biegała od drzewa do drzewa, ostrzegając swoich leśnych sąsiadów.

– Sąsiadko – wołała do innej wiewiórki
– musisz szybko uciekać z domu, bo chodzi tu drwal, który ścina drzewa. Pani Orzeszek i jej troje dzieci ledwo uszli z życiem, kiedy ten brutal zrąbał ich drzewo.
– Jakie to straszne! Ostrzeżemy wszystkich, żeby zabierali swoje rzeczy i uciekali przed toporem tego wstrętnego drwala.

## 14 Wiewiórka strażnik

Zwierzęta z lasu zorganizowały ochotniczą grupę strażników, których obowiązkiem było trwać w pogotowiu, na wypadek gdyby wydarzyło się jakiekolwiek nieszczęście. Pewna bardzo mądra wiewiórka, która należała do grupy strażników, zobaczywszy, co drwal wyprawia swoją siekierą, zwróciła się do niego:

– Wydaje ci się, że to, co robisz, jest uczciwe? Nie przychodzi ci do głowy, że w wielu tych drzewach żyją całe rodziny zwierząt? Mógłbyś pomyśleć o tym, jaką krzywdę nam wszystkim wyrządzasz.

rzesień

## 15 Dalsze nagany

Inna wiewiórka i jej dziecko też zbliżyły się do drwala z wrogimi minami i powiedziały do niego:

– Ejże, drwalu! To drzewo jest naszym domem. Co zrobimy, jeśli je zwalisz? Gdzie się podziejemy?

– Przepraszam, pani wiewiórko – powiedział drwal zawstydzony. – Ja naprawdę nie wiedziałem, że wy mieszkacie w tych drzewach.

– No, to musisz być chyba głupi albo bardzo roztargniony.

– Możemy zrobić tak – powiedział drwal. Oznaczycie farbą wszystkie drzewa, które są zamieszkałe.

## 16 Leśni malarze

Drwal udał się do miasteczka i kupił kilka puszek czerwonej farby i mnóstwo pędzli. Potem wrócił do lasu i powiedział do zwierząt:

– Tu macie farbę i pędzle. Jeżeli weźmiecie się do roboty, jutro rano, jak przyjdę wycinać drzewa, będę wiedział z całą pewnością, które są zajęte, i nie przyjdzie mi do głowy zadać im ani jednego ciosu.

Wiewiórki, myszy polne, świstaki, a nawet zające i króliki, które nie mieszkają w drzewach, wzięły się do pracy.

## 17 W jedności siła

Następnego dnia, kiedy drwal przybył do lasu, ujrzał znaki czerwonej farby na wszystkich zamieszkałych drzewach i pomyślał, jak wielką pracę musiały wykonać te małe zwierzątka. On zaś przyniósł dla nich cały worek smakołyków. Taki miał bowiem pomysł na to, żeby jakoś je przeprosić. Wszystkie zwierzęta wyszły ze swoich domów i zaczęły zajadać przysmaki, które przyniósł im ich nowy przyjaciel.

## O dziewczynce, która chciała zostać czarownicą

## 18 Nauka czarów

Marysia nie lubiła szkoły. Koledzy z jej klasy śmiali się z niej i ciągnęli ją za warkocze. Nauczycielka zaś krzyczała na nią i dawała wciąż nowe kary. Dziewczynka miała tego wszystkiego dość i pewnego dnia postanowiła nauczyć się z magicznych ksiąg, jak stać się wiedźmą i rzucać czary. Chciała zamienić wszystkie dzieci w jakieś dziwne stwory, żeby dać im nauczkę.

## 19 Uczennica

Po przeczytaniu wielu ksiąg napisanych przez najznakomitszych czarowników na świecie, Marysia zobaczyła, ile musi się nauczyć i jak wiele rzeczy zgromadzić. Na początek potrzebowała wielkiego kotła. Musiała też wybrać się o północy nad staw, aby nałapać ropuch, jaszczurek i różnych robali, czyli wszystkiego tego, co stanowi podstawę każdej czarodziejskiej mikstury. Zrozumiała też, że brakuje jej stroju czarownicy. Otworzyła więc starusieńki kufer, który stał zakurzony na strychu w jej domu, i wyciągnęła z niego przebranie czarodziejki.

## 20 Piekielny napój

– No dobrze – powiedziała do siebie Marysia. – Naczytałam się ksiąg, zdobyłam kocioł, nałapałam obrzydliwych stworzeń, nazbierałam trujących roślin i jestem ubrana jak czarownica. Mam też złego, źle wychowanego kota i pożyczyłam nawet sowę od pewnego gajowego. Mogę przyrządzić napój!

I kiedy w garze stojącym na ogniu zawrzało, Marysia zaczęła wrzucać składniki do zrobienia piekielnej mikstury, która miała zamienić wszystkie dzieci z jej szkoły w odrażające stworzenia.

## 21 Straszliwy dym

Przez komin domku małej czarownicy Marysi zaczęły wydobywać się kłęby ciężkiego i brzydko pachnącego dymu, który wyglądał jak twarz diabła. Zwierzątka mieszkające w pobliżu domu dziewczynki, były bardzo przestraszone stworem wydobywającym się przez komin.

– Chodźcie tu do mnie wszystkie, schrońcie się pod moje skrzydełka, dzieciaczki – zakwiliła mama ptaszek do swych piskląt.

– Ty też się ukryj, starczy tu miejsca dla nas obojga – zawołała myszka polna do męża.

## 22 Bunt naczyń

Marysia mieszała swoją miksturę w ogromnym kotle, gdy nagle części z serwisu kawowego zaczęły latać i spoglądać na dziewczynkę potwornie wściekłym wzrokiem.

– Skąd wy macie oczy i usta? I dlaczego tak na mnie patrzycie, jakbyście chciały mnie zjeść? – zapytała dziewczynka. – Co ja wam złego zrobiłam?

A stało się tak dlatego, że dym, który unosił się z wywaru, zamieniał wszystkie istoty i sprzęty w rzeczy wściekłe, obrażone i złośliwe.

## 23 Niebezpieczeństwo

– Kto ci kazał robić ten brzydko pachnący wywar, z którego unosi się taki okropny dym? – wrzasnęła łyżka. – Patrz, co nam zrobiłaś!

– Mój żołądek! Ja rozchorowałem się od tego! Mam mdłości! – skarżył się dzbanek do kawy. – Patrz, patrz, cały jestem zielony od tego!

Mała czarownica, jej sowa, myszki, a nawet pająk, który zawsze siedział na kapeluszu Marysi, chowali się teraz, gdzie tylko mogli, aby ujść przed gniewem zbuntowanych naczyń.

## 24 Lanie

Ale poszukiwanie kryjówki na nic się im zdało. Sprzęty domowe rzuciły się na małą czarownicę, nie mając dla niej litości. Dostało się też sowie, która cały czas siedziała na czubku kapelusza Marysi. I tak naczynia wygnały dziewczynkę z domu, bo zmieniły się na gorsze przez magiczny dym. Marysia dostała straszne lanie. Biegła przez pole, ale im szybciej uciekała, tym więcej uderzeń na nią spadało.

– Proszę, przestańcie mnie już bić! Obiecuję, że już nigdy więcej nie będę próbowała zostać czarownicą!

## 25 Poprawa

Dziewczynka, która chciała zostać wiedźmą, żeby czarami zemścić się na swoich kolegach ze szkoły, zrozumiała, że nie wolno robić krzywdy komuś innemu. Choćby inni ludzie byli dla nas bardzo źli, to odpłacanie się im w ten sam sposób jest złe, na przykład zamienienie ich w ogromne dynie albo w świnki czy jeszcze coś gorszego. Tak postępować nie należy. A gdyby tak rzeczywiście Marysia została złą czarownicą... Lepiej o tym nie myśleć! Dziewczynka żałowała tak bardzo swoich zamiarów, że postanowiła nigdy więcej nie czytać już magicznych książek.

## Złoty warkocz

### 26 Ogródek czarownicy

Było raz sobie pewne małżeństwo, które po wielu latach oczekiwania wreszcie spodziewało się dziecka, a sąsiadką ich była czarownica. Mieszkała w domku z ogródkiem, w którym rosły wspaniałe warzywa. Pewnego dnia kobietę naszła chętka na bakłażana i poprosiła męża, żeby go dla niej zerwał. Mąż przeskoczył więc przez płot i swoją motyczką zaczął wykopywać roślinę. Ale nagle pojawiła się czarownica:
– Jak śmiesz kraść moje warzywa, głupcze?

# Wrzesień

## 27 Warunek

– Mogłabym cię zamienić w osła – groziła.
– Ale ocalisz skórę, jeśli oddasz mi wasze dziecko, jak tylko się urodzi. Po kilku miesiącach przyszła na świat dziewczynka. Rodzice oddali ją czarownicy, a ta zamknęła ją w wieży, w której nie było ani jednych drzwi. Z dziecka wyrosła piękna dziewczyna o bardzo długich włosach, które czesała w warkocz. Kiedy czarownica chciała wejść do wieży, krzyczała: „Dziewczynko, rzuć mi swój warkoczyk!" i wspinała się po złotym warkoczu.

## 28 Uwięziona w wieży

Dziewczynka, która nie miała imienia, bo czarownica nie zadała sobie trudu, żeby jakieś wymyślić, spędzała w wieży długie tygodnie samiuteńka jak palec. Tylko czsem przychodziła do niej w odwiedziny zła czarownica. Spoglądając 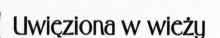 z jedynego okna swojego więzienia, dziewczynka marzyła o niedostępnym dla niej świecie. Żyjąc tak w samotności, godzinami wyśpiewywała przepiękne pieśni, które sama układała. A miała głos tak słodki i czysty, że przypominał trele słowika.

## 29 Zaczarowany głos

Pewnego popołudnia syn króla tego kraju jeździł konno po lesie. Nagle usłyszał przepiękną, choć smutną piosenkę.

– To chyba śpiewa jakiś anioł – rzekł książę do swojego konia. – Zawieź mnie do miejsca, skąd płynie ów zaczarowany głos.

I koń zawiózł go prosto do wieży, w której złotowłosa dziewczyna wyśpiewywała swoje cudowne pieśni. Książę chciał wejść do środka, aby przekonać się, do kogo należy ten głos, ale mimo że okrążył wieżę wiele razy, nie mógł znaleźć żadnego wejścia.

## 30 Książę i uwięziona piękność

Od tego dnia książę codziennie przychodził wsłuchiwać się w słodkie i smutne pieśni dziewczyny. Pewnego razu ujrzał, jak paskudna starucha zbliżyła się do wieży i zakrzyknęła:

– Dziewko, rzuć mi swój warkocz, chcę wejść na górę!

Zobaczył, jak z okna wypada długi warkocz, następnie starucha wspina się po nim i wchodzi do wieży. Gdy w końcu wiedźma zeszła na dół, książę zmienił głos i postąpił krokiem czarownicy. Kiedy stanął w oknie, ujrzał dziewczynę, która była bardzo piękna, ale smutna.

# Październik

## 1 Zemsta czarownicy

Przez wiele dni książę przybywał odwiedzać dziewczynę, którą nazywał Złotym Warkoczem, a ona czuła się dzięki jego odwiedzinom tak szczęśliwa, że bez przerwy wyśpiewywała radosne piosenki. Jednakże wiedźma, widząc, że Złoty Warkocz ciągle się śmieje i śpiewa jak skowronek, zaczęła coś podejrzewać. Pewnego ranka założyła jej knebel, żeby nie mogła krzyczeć, i zaczaiła się, by podejrzeć, co czyni jej więźniarkę tak szczęśliwą. Gdy posłyszała księcia, spuściła przez okno złoty warkocz, a kiedy ten stanął w oknie, wiedźma mocno go popchnęła. Książę spadł w cierniste krzewy, których kolce wbiły mu się w oczy i oślepiły go.

## 2 Książę włóczęga

Kiedy książę zorientował się, że stracił wzrok, postanowił nie wracać do zamku. Nie chciał też iść do wieży, gdzie mieszkała złotowłosa dziewczyna.
– Jak ja się ojcu pokażę, jak stanę przed ludem mojego królestwa, skoro jestem ślepy i mam twarz zeszpeconą przez ciernie? – pytał książę, gorzko płacząc. – Nie chcę też, aby moja ukochana, Złoty Warkocz, zobaczyła mnie w takim stanie i martwiła się z powodu mojego nieszczęścia. Najlepiej będzie, jak stanę się włóczęgą. Będę tak wędrował bez celu, bez miłości i bez domu.

### 3 Szczęśliwy finał

Wiedźma przyniosła pod wieżę sznurową drabinę, aby wyciągnąć uwięzioną dziewczynę. Gdy tylko wspięła się na pierwszy stopień, upadła, łamiąc nogę w kostce. Dziewczyna skorzystała z okazji i uciekła. Zatrzymała się nad strumykiem, by napić się wody i chwilę później poczęła śpiewać jedną ze swoich smutnych pieśni. W tym samym czasie przechodził nieopodal książę, który rozpoznał głos ukochanej. Padli sobie w objęcia. Książę odzyskał wzrok. W chwilę później jechali już na książęcym rumaku do pałacu, gdzie żyli długo i szczęśliwie.

# Rybak i rybka

### 4 Zły czas dla połowów

Pewnego wieczoru młody rybak wybierał sieci z morza, z nadzieją, że udało mu się złowić wiele ryb. Bardzo tego pragnął, gdyż już od kilku tygodni prawie nic nie złapał. Gdy już myślał, że i tym razem zbiera całkiem puste sieci, z daleka ujrzał zaplątaną w nie małą rybkę. Była tak maleńka, że rybak zaczął się zastanawiać, czy nie powinien wrzucić jej z powrotem do morza.

#  Październik

## 5 Mała rybka mówi

Gdy tak zastanawiał się, co czynić, usłyszał głos rybki. Na początku bardzo się zdziwił, przysunął więc zwierzątko bliżej ucha, aby lepiej je słyszeć.

– Przyjacielu rybaku, – mówiła rybka – jeżeli teraz mnie zjesz, nie będę mogła zaspokoić twojego apetytu, gdyż jestem jeszcze bardzo mała. Jednakże, jeśli uwolnisz mnie teraz i wypuścisz do morza, będę mogła urosnąć i stać się tak duża, jak mój dziadek, słynny na całe wybrzeże ze swych ogromnych rozmiarów.

##  Wątpliwości rybaka

Rybak zdumiony był tym rozsądnym rozumowaniem, zwłaszcza, że pochodziło ono od tak maleńkiej rybki. Istotnie to, co mówiła, miało swoją logikę. Tak mała rybka nie mogła zaspokoić jego wielkiego głodu, z którym borykał się już przecież od wielu dni. Miało rację zwierzątko, mówiąc, że byłoby mu dużo bardziej przydatne, gdyby urosło i osiągnęło rozmiary dorosłej sztuki. Jednak rybakowi kiszki marsza grały, od wielu dni nie miał bowiem nic innego w ustach poza chlebem i bulionem przygoto-wanym z ości starych ryb. Zupełnie nie wiedział, co czynić.

## 7 Rodzina rybki

W pewnym momencie usłyszał z daleka nawoływania innych rybek, które wyskakiwały z wody w poszukiwaniu zagubionego malucha.

Była to rodzina, bardzo zaniepokojona zaginięciem rybiego dziecka. Wszyscy krewni rybki chcieli, by mogła bezpiecznie rosnąć wśród swoich.

## 8 Decyzja rybaka

Słysząc te smutne wołania, młody rybak zrozumiał, co powinien uczynić. Wziął w ręce rybkę i wpuścił ją z powrotem do wody.

Jako pocieszenie pozostawała mu myśl, że spotka ją, gdy już będzie duża. Wtedy na pewno uda mu się ją schwytać.

# Październik

## 9 Pożegnanie

Pozostałe rybki bardzo się ucieszyły, gdy tylko zobaczyły poszukiwanego malucha płynącego wraz z nimi w ławicy.

Postanowiły okazać swą wdzięczność młodemu rybakowi. Aby nie wrócił on do domu z pustymi rękami, wypełniły mu sieci smacznymi i pożywnymi ostrygami. Chłopak ucieszył się bardzo, widząc pływającą znów razem rodzinę małej rybki. Pozdrowił je z pokładu swojej łodzi, życząc im, aby przez długie lata mogły być razem i podziękował za dobre ostrygi.

## Lisica i kura

### 10 W poszukiwaniu pożywienia

Pewna wygłodniała lisica postanowiła pójść do wioski w poszukiwaniu czegoś do jedzenia. Gdy zbliżała się do pogrążonej we śnie wsi, usłyszała pianie koguta, który ze swojego kurnika obwieszczał nadejście świtu. Lisica niezmiernie się ucieszyła. Dobrze wiedziała, że tam gdzie jest kogut, są również i kury, które znakomicie nadają się na posiłek.

## 11 Pełny kurnik

Lisica zaczęła się bezszelestnie skradać w kierunku kurnika, wypełnionego śpiącymi ptakami. Zbliżała się wielka wyżerka! Potrzebowała jedynie odrobiny swojego sprytu. Starając się przemknąć niezauważona, cichutko weszła do środka kurnika. Była pewna sukcesu, jako że żaden z ptaków nie zorientował się, że lis się skrada.

## 12 Wielka ucieczka

Jednak w tym właśnie momencie jedna ze starych kur zauważyła lisicę. Narobiła hałasu, alarmując pozostałe ptaki. Ptaki natychmiast uciekły w popłochu. Wśród ogólnego zamieszania i hałasu wszystkie znalazły się całe i zdrowe poza zasięgiem polującego napastnika.

## 13 Stara kura

No może nie wszystkie. Jedna z nich, ta sama stara kura, która zaalarmowała resztę ptaków, nawet się nie ruszyła. Lisia była rozczarowana i wściekła. Zbliżyła się do kury.

– A ty co tutaj robisz? Dlaczego nie uciekłaś, jak inne kury? – zapytała.

– Jestem już starym i chorym ptakiem, nie mam nic do zaoferowania takiej sprytnej, wygłodniałej lisicy jak ty.

## 14 Ważna lekcja

Lisicę zaskoczyły słowa kury, nie wiedziała, co jej odpowiedzieć. Zawiedziona, wyszła z kurnika z pustymi rękami. Gdy tylko się oddaliła, reszta ptaków otoczyła starą kurę i podziękowała jej za okazanie odwagi w starciu ze sprytnym drapieżnikiem.

# Lisica i koziołek

## 15 Na łące

Pewna wygłodniała lisica wałęsała się po okolicy w poszukiwaniu zdobyczy, która mogłaby zaspokoić jej rosnący apetyt. Wtem, w oddali, usłyszała brzęk dzwoneczka. Skradając się bezszelestnie i ukrywając w gąszczach pobliskich krzewów, natknęła się na małą kózkę, która spacerowała po łące, radośnie podskakując i bawiąc się z motylkami.

## 16 Skok lisicy

Lisica poczekała na dobry moment, aby rzucić się na zdobycz, i gdy kózka podeszła blisko krzewów... łup! Naskoczyła na zwierzątko, nie zdając sobie jednak sprawy, że tuż między nimi znajduje się głęboka studnia. I właśnie tam, na samym dnie studni znalazła się nagle lisica. Cóż to była za ulga dla małej kózki. O mało nie wylądowała w strasznych szponach drapieżnika.
Odeszła, myśląc, że w przyszłości powinna bardziej uważać.

# Październik

## 17 Ciekawski koziołek

Już od jakiegoś czasu siedziała lisica na dnie pułapki, nie mogąc wydostać się na zewnątrz, gdy nagle w otworze studni pojawiła się głowa koziołka. Lisica wpadła więc na sprytny plan.
– Ach, jaka świeża i chłodna jest woda w tej studni! Każdego dnia przychodzę tu, by wykąpać się i napić czystej wody! Naprawdę gorąco ją panu polecam! – oszukiwała.

## 18 Skuteczna zasadzka

Tak gorąco zachwalała lisica zalety wody ze studni, że naiwny koziołek też zapragnął jej spróbować. I jednym szybkim skokiem znalazł się w środku. Nie czekając ani chwili, lisica wskoczyła na grzbiet koziołka, ułatwiając sobie w ten sposób wydostanie się z pułapki.
Biedny koziołek. W jaki niemądry sposób dał się oszukać lisicy. Teraz to on utknął w studni, stojąc w wodzie sięgającej mu aż do kolan.

## 19 Pożegnanie z koziołkiem

Lisica pożegnała się z ko-
ziołkiem i szybko pobie-
gła na poszukiwania
zdobyczy. A naiwny ko-
ziołek pozostał uwięzio-
ny w studni zupełnie
sam, zasmucony, że tak
łatwo dał się oszukać.
Po długim czasie, spę-
dzonym na bezowocnych
próbach wydostania się z pułapki, nie bez wysiłku, udało mu
się uwolnić z więzienia.

# O pasterzu kłamczuszku

## 20 W drodze na łąki

Żył sobie kiedyś w jednej wsi pewien pasterz, który
każdego ranka wychodził ze swoim stadem owiec
na łąki, aby mogły się paść, jedząc świeżą
trawę. Jako że wciąż jeszcze był młodym
chłopcem i zajęcie pasterza czasami go
nudziło, miał w zwyczaju robić innym
kawały, by się trochę rozweselić.
Wiele godzin spędzał zupełnie sam,
pewnie dlatego tak często przychodziły
mu do głowy różne figle.

# Październik

## 21 Nudny dzień

Pewnego wiosennego dnia, gdy na niebie świeciło piękne słońce, trawa na łące była wyjątkowo świeża i bujna, tak że nie było potrzeby ciągłego przemieszczania się, by nakarmić owieczki. Pasterz siedział nieopodal swojego stada, trochę się nudząc, gdy nagle usłyszał jakieś głosy w oddali. Chłopczyk wstał i poszedł w ich kierunku zaciekawiony skąd dochodzą. Zobaczył, że to rolnicy w pocie czoła pracowali, przygotowując ziemię do sadzenia.

## 22 Wołanie na pomoc

Pasterz postanowił spłatać figla rolnikom. Zaczął więc krzyczeć wniebogłosy:
– Ratunku! Na pomoc! Zbliża się wilk! Prawda była taka, że w najbliższej okolicy nie było żadnego wilka, ale wiedział o tym jedynie chłopczyk. Rolnicy, słysząc zdesperowany głos wołającego chłopca, czym prędzej przybiegli, niosąc ze sobą wszystkie narzędzia pracy, by użyć ich jako broni w walce z wilkiem. Jednak, gdy przybyli na miejsce, zobaczyli tylko zanoszącego się śmiechem pasterza. Zrozumieli, że to był tylko głupi żart.

## 23 Kolejny alarm

Kilka godzin później rolnicy ponownie usłyszeli woła-nie o pomoc:

– Ratunku! Pomocy! Wilk się zbliża!

Mężczyźni ponownie uzbroili się w kije i widły i ru-szyli chłopcu z pomocą, lecz znowu zastali tylko śmiejącego się do roz-puku, bardzo zadowolonego ze swojego nieprzyjemnego żartu. Nie spodobało się to rolnikom, ale pomyśleli, że są to młodzień-cze wygłupy.

## 24 Prawdziwy wilk

Nie minęła nawet godzina, gdy nagle mały pasterz usłyszał wśród krzaków i chwastów dźwięk łamanych gałązek. I zaraz potem, ku swoje-mu przerażeniu, prawdziwe warczenie wilka. Teraz naprawdę nadchodziło nie-bezpieczne zwierzę, gotowe po-żreć jego owce! Wilk gonił z otwartą paszczą za stadem. Chło-piec bardzo przestraszony zaczął wołać o pomoc:

– Ratunku! Pomocy! Nadchodzi wilk! Proszę, pomóżcie!

# Październik

## 25 Spokojni rolnicy

Jednakże tym razem, rolnicy nie przerwali swojej pracy, by ruszyć na pomoc chłopcu. Dosyć już mieli jego niemądrych żartów. Kierowani doświadczeniem, pomyśleli, że to znowu żart i nie chcieli kolejny raz dać się nabrać. Mężczyźni spokojnie kontynuowali przygotowywanie posiłku nad rozpalonym ogniem, ignorując zupełnie krzyki chłopca. Młody pasterz musiał sam stawić czoła dzikiemu i strasznemu wilkowi.

## 26 Porządna nauczka

Oj, jak bardzo żałował pasterz swoich niemądrych żartów, jak bardzo żałował swoich kłamstw. Teraz był zupełnie sam, nie mogąc liczyć na niczyją pomoc. Wilk pożarł całe jego stado. Ta historia dała mu nauczkę na resztę życia: Kto ma w zwyczaju kłamać, temu nikt nie uwierzy, gdy powie prawdę.

# Lew i mysz

## 27 W drodze do szkoły

Pewnego pięknego poranka mała myszka
wychodziła z domu do szkoły.
Pożegnała się wesoło z mamą i ruszyła
w drogę. Każdego dnia chodziła tą samą
ścieżką i nią też wracała.
Dlatego, choć była jeszcze malutka,
jej mama nie martwiła się o nią.
Ale tego dnia miała myszkę spotkać
na drodze niemiła niespodzianka.

## 28 Drzemka lwa

Właśnie szła szczęśliwa, radośnie śpiewając, gdy nagle natknęła się
na odpoczywającego lwa. Jakże się przestraszyła! Na szczęście straszny
zwierz spał. Cichuteńko, kro-
czek po kroczku
myszka zaczęła się
cofać. Niestety, pech
chciał, że niechcący
nadepnęła na jed-
ną z suchych
gałązek leżących
na drodze.
Trzask obudził lwa.

# Październik

## 29 Prośba

Zdenerwowany, że ktoś śmiał przerwać mu drzemkę, lew jednym szybkim ruchem chwycił myszkę pazurami.

– Ojojoj! – pisnęła myszka. – Nie miałam zamiaru pana obudzić. Proszę pozwolić mi spokojnie odejść. Moja mama będzie bardzo smutna i nieszczęśliwa, jeżeli nie wrócę do domu...

Lwu żal się zrobiło małego zwierzątka, a że w głębi serca był dobry, puścił je wolno. Jakże szczęśliwa i wdzięczna była myszka. Weselsza niż kiedykolwiek raźno ruszyła w stronę szkoły.

## 30 Uwięziony lew

Zdarzyło się tak, że chwilę później to lew potrzebował pomocy, wpadł bowiem w siatkę, która w mgnieniu oka zamknęła się nad nim

i wciągnęła do góry. Bezradny wisiał na gałęzi drzewa. Zaczął głośno wołać o pomoc. Słysząc z daleka krzyki, myszka przybiegła mu na ratunek.

– Niedawno oszczędziłeś mnie i pozwoliłeś spokojnie odejść, nie robiąc mi krzywdy. Teraz to ja mogę tobie pomóc wyplątać się z pułapki. Myszka wskoczyła na sieć i zaczęła gryźć swoimi ostrymi ząbkami.

# 31 Początek wielkiej przyjaźni

W mgnieniu oka myszka zdołała zrobić całkiem sporą dziurę w siatce, dzięki czemu lew wyszedł na wolność. Lew bardzo był wdzięczny myszce za okazaną mu przysługę i pomoc. Nigdy nie pomyślałby, że tak małe zwierzątko może go uratować z wielkich tarapatów. Szczęśliwi i zadowoleni, lew i myszka, którzy stali się teraz dobrymi przyjaciółmi, pożegnali się i poszli każdy w swoją drogę. Bardzo dobrze wiedzieli, że ta przyjaźń będzie trwać już zawsze. Tego, co wspólnie przeżyli, nigdy nie zapomną.

# Listopad

## Kowal i pies

###  Jeden pracuje, drugi odpoczywa

U stóp pewnego wzgórza stała sobie stara chata, w której mieszkali skromny kowal i jego niezwykle leniwy i opieszały pies. Mężczyzna przez cały boży dzień ciężko pracował w kuźni, robiąc podkowy i różnego rodzaju sprzęty kuchenne. W przeciwieństwie do niego, jego pies, który był strasznym próżniakiem i ślamazarą, spędzał całe dnie na wylegiwaniu się na swojej starej poduszce.

### Fałszywa miłość

Ponadto pies nigdy nie pomagał swojemu właścicielowi. W rzeczywistości ten dobry i łagodny mężczyzna nawet nie czuł obecności swojego psa, który nie był dla niego żadnym towarzyszem. Zwierzę tylko wtedy okazywało czułość swojemu panu, gdy czuło zapach smakowitych kości pozostawionych przez kowala na stole. Większość czasu zaś pies chodził własnymi drogami i nawet nie pamiętał o swoim właścicielu. Jedynie głód sprawiał, że okazywał kowalowi zainteresowanie i fałszywą miłość.

## 3 Cierpliwość ma swoje granice

Staranność i sumienność kowala, który zawsze dobrze wykonywał zleconą mu pracę, przysporzyła mu sławy i uznania wśród ludzi zamieszkujących okolicę. Ale tak pracowity człowiek nie mógł pogodzić się z lenistwem swojego psa. Pewnego dnia powiedział:

– Precz z mojego domu, ty leniwy psiaku! Nie potrafisz robić nic innego, jak tylko spać i jeść.

## 4 Początek nowego życia

Pies w ogóle nie przejął się słowami kowala – cóż za obojętność! Niespiesznie spakował swoje manatki do tobołka i ruszył na poszukiwanie przygody. Już on sobie znajdzie inny dom, inne miejsce! Szybko jednak zdał sobie sprawę z tego, co stracił.

## 5 Niełatwo jest zarabiać na życie

Znalezienie przytulnego miejsca do zamieszkania okazało się niełatwym zadaniem. Tułał się po wielu domach, jednak w żadnym nie traktowano go dobrze. Po raz pierwszy w życiu musiał ciężko pracować, aby zarobić na dom i jedzenie. Nikt mu niczego nie dawał w prezencie. Jego życie całkowicie się zmieniło, nie przestawał pracować. Spędził długie, zimne i bezsenne noce, pracując jako strażnik w jednym z małych kurników. W zamian dostawał tylko mizerne jedzenie. Wykonywał zawód kucharza, gotując innym smaczne i pożywne kolacje. Nie odpoczywał ani w nocy, ani za dnia.

## 6 Biedny piesek

Często, wzdychając głęboko i wspominając stare czasy, żalił się:
– Dlaczego byłem takim leniem i nie doceniałem mojego pierwszego właściciela?
Piesek pracował również jako posłaniec do wszystkiego i na skinienie wszystkich. Zawsze dawano mu pracę, której nikt inny nie chciał.

## 7 Biedny piesek

Niepowodzenia towarzyszyły mu w jego samotnej drodze bez celu. Nieszczęsny pies miał nadzieję, że pewnego dnia los zacznie mu sprzyjać i zdoła odmienić swe smutne życie. „Jaki ja jestem biedny", myślał, „dlaczego nie potrafiłem docenić tych pełnych szczęścia dni w domu mojego dobrego przyjaciela kowala?".

## Osioł i pies

## 8 Życie na wsi

W pewnej małej wiosce, oddalonej od zgiełku wielkich miast żyli sobie łobuzerski piesek i ładny osiołek, dwóch dobrych przyjaciół należących do tego samego właściciela. Mimo że przez większość czasu korzystali z uroków życia na wsi, od czasu do czasu towarzyszyli swojemu panu w wyprawach do dużego miasta. Tam wybierali się na targ, gdzie sprzedawali świeże warzywa i owoce zebrane z ogrodu i sadu.

# Listopad

## 9 Wyprawa do miasta

Podczas tych podróży osiołek nosił na swoim grzbiecie kosze wypełnione soczystymi owocami i warzywami. Mieszkańcy

miasta bardzo cenili świeże i zdrowe jedzenie. W połowie drogi właściciel miał w zwyczaju zatrzymywać się na kilka godzin, aby odpocząć w cieniu drzew. Nie był to tylko odpoczynek w podróży, ale także przygotowanie do ciężkiego dnia pracy, który czekał go na targu.

## 10 Czas na drzemkę

Podczas gdy właściciel rozkoszował się przyjemną drzemką, figlarny piesek biegał po łączce pełnej kwiatów, goniąc motyle, które wirowały w locie nad brzegiem strumyczka. W przeciwieństwie do niego, osiołek, który poza tym, że był dużo spokojniejszy, dźwigał też na grzbiecie cały ciężar, pasł się szczęśliwy na pięknych okolicznych łąkach. Gdy był już najedzony i on zaczynał podskakiwać i swawolić, bawiąc się ze swoim przyjacielem. W ten sposób spędzali czas. Wiedzieli, że drzemka ich właściciela bywa długa i nie powinni go budzić.

## Cóż za głód!

Zmęczony bieganiem i zabawami piesek poczuł nagle wzbierający głód. Widząc, że jego pan nadal śpi, zbliżył się do osła i, wspinając się na tylne łapki, podniósł pyszczek, mówiąc:

– Pochyl się trochę, przyjacielu, i pozwól mi spróbować czegoś z twojego koszyka. Osioł, myśląc, że nie spodobałoby się to ich właścicielowi, nie pozwolił wziąć niczego z kosza. Wiedział, że wszystko co nieśli ze sobą, przeznaczone było na sprzedaż w mieście.

## Pojawienie się wilka

Byli jeszcze w trakcie tej dyskusji, gdy nagle, tuż obok nich pojawił się wygłodniały wilk, który wyłonił się z pobliskiego, bujnego lasu. Przerażony osioł stanął jak wryty. Piesek, trzęsąc się ze strachu, schował się za przyjacielem. Nie wiedzieli, co robić.

# Listopad

## 13 Reakcja psa

Biedny osiołek czuł się całkowicie bezbronny wobec tak dzikiego i strasznego zwierzęcia. Poprosił więc o pomoc pieska, mówiąc:

– Zaszczekaj, mój przyjacielu! Zaszczekaj głośno! Dzięki temu usłyszy cię nasz właściciel, a wilk ucieknie, widząc, że mężczyzna się obudził.

Piesek, za namową przyjaciela, zaczął głośno szczekać z taką złością, że wilk natychmiast uciekł przestraszony. Nie potrzebowali ratunku ze strony właściciela. Wilk, który zupełnie się nie spodziewał tak nagłej i odważnej reakcji psa, naprawdę się przestraszył i wolał uciec, unikając bójki.

## 14 Najważniejsza jest przyjaźń

I w ten sposób odważny piesek ocalił swojego przyjaciela osiołka. W obliczu zagrożenia pies bardziej cenił swą przyjaźń z osłem, niż własny interes i ochotę wzięcia nóg za pas. Pokonał chęć ucieczki. Nie pamiętał już również brzydkiego zachowania osiołka, który nie pozwolił mu zaspokoić głodu smakowitymi i soczystymi owocami i warzywami, które miał w koszyczku. Właśnie tacy są prawdziwi przyjaciele. Nie chowają urazy i zawsze są gotowi udzielić pomocy swojemu przyjacielowi.

# Dwie suczki

## 15 W ładnym domu

W pewnej bardzo czystej chatce
mieszkała raz sobie pewna
suczka. Bardzo lubiła czytać
i gdy tylko miała wolną chwilę,
siadała w swoim ulubionym
fotelu i brała do ręki jakąś
dobrą książkę. Jej domek był
bardzo ładny i udekorowany
w dobrym guście. W każdym
kąciku stały bukiety kwiatów,
które rozweselały pokoje.
Panował tu również porządek.

## 16 Niespodziewana wizyta

Podczas jednego ze spokojnych wie-
czorów właśnie czytała książkę, gdy ktoś zadzwonił
do drzwi. Któż to mógł być? Jedna z jej starych
przyjaciółek przyjechała w odwiedziny.
Bardzo się ucieszyła na jej widok.
– Widzisz, muszę wyprowadzić się na kilka
dni z mojego domu i zastanawiam się,
czy nie mogłabym zostać u ciebie przez
jakiś czas – powiedziała koleżanka.
– Ależ oczywiście, przynajmniej będziemy
mogły o wszystkim porozmawiać.

# Listopad

## 17 Zmiany w pokoju

Przyjaciółki rozmawiały ze sobą przez dłuższy czas, gdyż minęło już sporo czasu, odkąd widziały się po raz ostatni. Gdy nadeszła godzina udania się na spoczynek, gospodyni zaoferowała przyjaciółce

swój pokój i łóżko, aby ta czuła się jak najlepiej. Jej osobiście nie przeszkadzało spanie przez kilka nocy na kanapie w salonie. Następnego ranka, gdy zaniosła jej śniadanie, ku swojemu zdziwieniu zauważyła, że pokój nieco się zmienił.

– Tak jest dużo nowocześniej! – wykrzyknęła przyjaciółka.

## 18 Jeszcze więcej zmian

Mijały dni i nasza bohaterka coraz bardziej zdawała sobie sprawę z faktu, że jej życie się zmieniło. Nie mogła już, jak miała w zwyczaju, poczytać. Koleżanka uwielbiała bowiem muzykę i nie było dnia, w którym nie grałaby na flecie.

# 19 Kolejna niespodzianka

Pewnego dnia właścicielka chatki wyszła jak zwykle do pracy. Gdy wróciła, spotkała ją bardzo niemiła niespodzianka. Gdy stanęła w drzwiach swego domu, ujrzała, że w jej salonie ktoś urządził sobie przyjęcie.

To jej przyjaciółka zaprosiła znajomych, organizując imprezę z muzyką i napojami, bez poproszenia o pozwolenie lub chociażby uprzedzenia koleżanki.

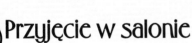

# 20 Przyjęcie w salonie

Cóż to było za zamieszanie! Nasza bohaterka, która bardzo lubiła porządek i czystość, poczuła się tak urażona zachowaniem przyjaciółki, że musiała wyjść z domu, by zaczerpnąć świeżego powietrza i spróbować się opanować. Nie chciała wszczynać awantury.

# Listopad

## 21 Dom zmienia właściciela

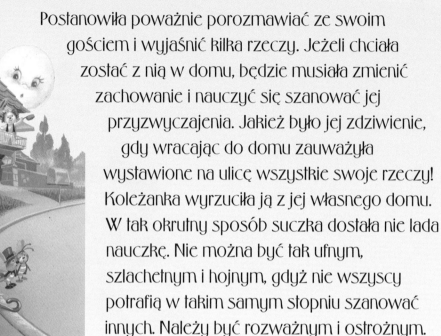

Postanowiła poważnie porozmawiać ze swoim gościem i wyjaśnić kilka rzeczy. Jeżeli chciała zostać z nią w domu, będzie musiała zmienić zachowanie i nauczyć się szanować jej przyzwyczajenia. Jakież było jej zdziwienie, gdy wracając do domu zauważyła wystawione na ulicę wszystkie swoje rzeczy! Koleżanka wyrzuciła ją z jej własnego domu. W tak okrutny sposób suczka dostała nie lada nauczkę. Nie można być tak ufnym, szlachetnym i hojnym, gdyż nie wszyscy potrafią w takim samym stopniu szanować innych. Należy być rozważnym i ostrożnym.

## Gołębica i mrówka

## 22 Czysta woda

Pewnego pięknego i gorącego dnia wiosny biała gołębica podleciała do źródełka i usiadła, by napić się krystalicznie czystej, chłodnej wody. Musiała zaspokoić pragnienie, które dokuczało jej już od dłuższego czasu.

## 23 Mrówka w opałach

Właśnie piła wodę ze źródełka, gdy nagle usłyszała wołanie o pomoc.
– Ratunku! Pomocy! – prosił cichuteńko słaby głos. – Bardzo proszę,
gołębico, pomóż mi wyjść z wody, inaczej umrę.
Gołębica rozejrzała się dookoła, lecz nikogo nie zobaczyła.

– Jestem tutaj,
w wodzie!
– usłyszała.
Wtedy ujrzała ma-
lutką mrówkę,
która walczyła
z wodą, powoli
zanurzając się
w strumyku.

## 24 Na ratunek

– Nie martw się, mała mróweczko – powiedziała gołębica. – Zaraz
pomogę ci wydostać się na brzeg.

Gołębica chwyciła
gałązkę i zbliżyła ją
do tonącego zwie-
rzątka, by je urato-
wać. Biedna
mrówka była już
u kresu sił, jesz-
cze chwila i nie
uszłaby cało
z niebezpiecznej
przygody.

# Listopad

## 25 Zagrożenie ze strony myśliwego

Niedługo później, gdy mrówka suszyła się właśnie w promieniach słońca, ujrzała myśliwego, który właśnie przygotowywał się do oddania strzału do gołębicy. Mrówka musiała temu zapobiec! Nie przyszło jej nic innego do głowy, jak tylko ugryźć go w stopę. Myśliwy podskoczył jak oparzony, wypuszczając strzelbę z ręki. Gołębica zdała sobie sprawę z obecności człowieka i szybko wzbiła się w powietrze, by jak najszybciej uciec.

## 26 Wzajemna wdzięczność

Gdy minęło już zagrożenie, gołębica odszukała mrówkę, by podziękować jej za to, co dla niej uczyniła. Jakie to szczęście, że mała mróweczka była w pobliżu i mogła jej pomóc! Dzięki niej gołębica ocaliła swoje życie. Mrówka przypomniała jej wtedy, jak wspaniale zachowała się gołębica nad źródłem, wyciągając ją z wody i ratując przed śmiercią. Ona również była bardzo wdzięczna. Obie były bardzo szczęśliwe i zadowolone, że mogły sobie pomóc.

## 27 Przyjaźń na całe życie

Choć zupełnie się nie znały, pomogły sobie wzajemnie w niebezpieczeństwie. I to połączyło je na zawsze. Gołębica i mrówka wiedziały, że ta nowa, wspaniała znajomość to prawdziwa przyjaźń na całe życie.

# Cykada i mrówka

## 28 Śpiewać czy pracować?

Żyła sobie kiedyś pewna cykada, która całe dnie, od rana do wieczora, śpiewała. Całe lato spędzała na graniu każdemu, kto tylko chciał posłuchać jej pięknego głosu. Zawsze można było ją spotkać uśmiechniętą i szczęśliwą, nucącą ulubione piosenki. Sąsiadką cykady była pewna mała mrówka o zupełnie odmiennym sposobie bycia. Nigdy nie śpiewała i cały boży dzień poświęcała pracy. Nie mogły się od siebie bardziej różnić!

## 29 Zapasy jedzenia na zimę

Jedynym zmartwieniem mrówki było zaopatrzenie się w żywność na nadchodzącą zimę.

Raz cały dzień spędzała na poszukiwaniu robaków, innym razem zbierała ziarna pszenicy i żyta. Z niezmierną cierpliwością i spokojem przynosiła i gromadziła jedzenie w swoim domu. Mrówka wiedziała bowiem, że zima jest długa i bez zapasów zginie z głodu. Teraz, gdy nadal dopisywała piękna pogoda, mogła je zdobyć.

## 30 Przyjemność płynąca z korzystania z natury

Cykada widziała pracującą codziennie bez chwili przerwy mrówkę, która od rana do wieczora, od samego świtu zabierała się raźno do roboty. Nie tylko musiała zgromadzić żywność, ale również wybudować spiżarnię do jej magazynowania. W tym samym czasie, cykada, beztroska i szczęśliwa śpiewała radośnie, ciesząc się towarzystwem ptaków i pięknych kwiatów. Uwielbiała korzystać z życia, a lato było najlepszą porą roku na cieszenie się z piękna natury.

# rudzień

## 1 Nadejście jesieni

Minęło lato i nadeszła jesień. Cykada nadal spędzała cały dzień na śpiewaniu, nie martwiąc się o nic. Mrówka postanowiła ją ostrzec:
– Jeżeli nie nazbierasz sobie jedzenia na zimę, umrzesz z głodu.
Ale beztroska cykada odpowiedziała, że ma na to jeszcze dużo czasu. Jesień była zbyt piękna, by pracować.

## 2 Zimowe niedostatki pożywienia

W końcu nadeszła zima. Cykada zorientowała się, że nie ma nic do jedzenia. Niemożliwe było już znalezienie pożywienia na polach i w lasach. Na zewnątrz wszystko było pokryte śniegiem i lodem. Przypomniała sobie wtedy cykada o mrówce i wyobraziła, jak pyszne posiłki gotuje jej sąsiadka. Postanowiła ją odwiedzić, by poprosić o pomoc.

# Grudzień

## 3 Uczenie się na błędach

Gdy tylko mrówka otworzyła jej drzwi, cykada zapytała:

– Jako że pani spiżarnia jest pełna pożywienia, może mogłaby mi pani, droga sąsiadko, pożyczyć trochę jedzenia, bym mogła przetrwać tę srogą zimę? Mrówka odpowiedziała:

– Pożyczyć coś, co z takim trudem zbierałam, pracując w pocie czoła? Pamiętasz, co ci radziłam? Powinnaś była wtedy napełnić spiżarnię.

Cykada zrozumiała, że sąsiadka ma rację i obiecała sobie, że nigdy więcej nie popełni już tego samego błędu.

## Pani skowronkowa, jej dzieci i rolnik

### 4 Marsz do szkoły!

Wśród zbóż i traw, na polu uprawnym, mieszkała pewna pani skowronkowa, która opiekowała się troskliwie swoimi małymi pisklętami i ciężko pracowała, by móc je nakarmić i utrzymać gniazdo w porządku i czystości. Każdego dnia ubierała i czesała swoje dzieci przed wysłaniem ich do szkoły.

## 5 Szczęśliwe gniazdo

Podczas gdy mama, pani skowronkowa, zajmowała się domem, jej pociechy uczyły się pisać i czytać. Były bardzo grzecznymi, dobrymi dziećmi i bardzo kochały swoją mamę. Pewnego dnia, zanim wyleciała z gniazda na poszukiwanie jedzenia, mama tak rzekła do swoich piskląt:

– Kiedy zobaczycie rolnika, słuchajcie uważnie tego, co mówi. Pszenica wygląda już na dojrzałą i musimy wiedzieć, kiedy zaczną ją kosić.

## 6 Plany rolników

Niedługo później, pisklęta ujrzały rolnika nadchodzącego z całą rodziną. Rozglądając się dookoła, mężczyzna ocenił, że pszenica nadaje się już do zbiorów. Ptaszki usłyszały też jak mówił, że da znać sąsiadom z wioski i poprosi ich, by pomogli mu przy żniwach następnego dnia.

# rudzień

## Decyzja ptasiej mamy

Gdy tylko mama skowronkowa wróciła do gniazda, maluchy niezwłocznie opowiedziały jej o tym, co usłyszały. Jednakże ona rzekła:

– Same zobaczycie, że jutro nie zaczną się żniwa. I tak właśnie było. Następnego ranka nikt się nie pojawił na polu pszenicy. Mama skowronkowa poleciała jak zwykle po jedzenie i znowu poprosiła swe dzieci, by z uwagą słuchały tego, co mówi rolnik.

## Zbliżają się żniwa

Chwilę potem pojawił się na polu rolnik z żoną i rzekł:
– Ponieważ nikt z moich krewnych i przyjaciół nie chciał przyjść, aby mi pomóc w żniwach, jutro z samego rana sam będę musiał zająć się koszeniem całego pola pszenicy. Gdy później pisklęta opowiedziały mamie, co usłyszały, wiedziała, że nadszedł już dzień zbiorów.

##  Przeniesienie gniazda

– Tak, moje dzieci, tym razem rzeczywiście nadszedł już dzień zbiorów. Jutro z samego rana
rozpoczną się żniwa. Musimy więc zebrać
i popakować wszystkie nasze rzeczy.
Tego samego wieczoru mama małych
skowronków spakowała wszystko
do walizek, chwyciła każde ze swych
piskląt za skrzydełko i wzbiła się z nimi
w powietrze w poszukiwaniu nowego
miejsca na gniazdo. Małe skowronki
nauczyły się zasady, że jeśli chcesz,
aby rzeczy zostały zrobione na czas,
musisz zająć się tym sam.

# O szewcu, który został lekarzem

##  Trudny zawód szewca

Żył sobie kiedyś pewien biedny i wychu-
dzony szewc. Prawie nie miał pracy i ledwo wiązał koniec z końcem. Jego niezdar-
ność w zawodzie była tak powszechnie
znana, że niewiele mu się trafiało butów
do naprawienia. Nosił tak zniszczoną i starą odzież, że czasami nie można było jej
ani zacerować, ani załatać. Niewiele jadł
i żywił się głównie tym, co podarowali mu
dobrzy ludzie.

# Grudzień

## 11 Świetny pomysł!

Niewiele umiał robić, lecz pewnego dnia postanowił zmienić swoje życie. – Dość już mam tych wszystkich nieszczęść i pecha. Muszę znaleźć lepszy sposób na zdobycie pieniędzy – stwierdził. Nagle przyszedł mu do głowy świetny pomysł: – Już wiem, co zrobić, by stać się bogatym. Zostanę lekarzem!

## 12 Cudowne lekarstwo

Szewczyk wziął cały swój nędzny dobytek, wsadził w tobołek i ruszył w stronę najważniejszej i największej miejscowości znajdującej się w okolicy. Tam się zatrzymał, podając się za szanowanego lekarza. By zdobyć pacjentów, rozgłaszał, że za pomocą cudownego leku, którego sam jest autorem, potrafi wyleczyć każdą przypadłość, ból lub chorobę. Każdego dnia mieszał różne składniki, by otrzymać wywar.

## 13 Sława

Mieszkańcy wytrzymywali wiele godzin, stojąc w kolejkach w oczekiwaniu na możliwość nabycia tego cudownego naparu. I w ten właśnie sposób szewc, który jeszcze niedawno chodził w łachmanach, stał się w mgnieniu oka bogatym lekarzem. W krótkim czasie zarobił dużo pieniędzy.

## 14 Król

Zdarzyło się, że w tym czasie król zachorował. Szybko doszły go słuchy o wyczynach sławnego lekarza, rozkazał więc przyprowadzić go do pałacu. Król od początku nie ufał tajemnej miksturze:

– Masz, najpierw ty spróbuj swój lek, a później ja go wypiję.

# Grudzień

## 15 Szewczyk wyznaje prawdę

Szewc nie miał innego wyjścia, jak tylko wyznać królowi, że jego wywar to jedno wielkie oszustwo. Jego mikstura była zwykłą mieszanką aromatycznych ziół i w rzeczywistości niczego nie leczyła. Przepraszał, mówiąc, że nie chciał nikomu uczynić żadnej krzywdy, a jego cudowny lek był tylko nieszkodliwym dla zdrowia płynem. Dzięki niemu i zmianie zawodu, chciał wyjść z dokuczającej mu biedy.

## 16 Obwieszczenie

Król postanowił dać mu solidną nauczkę. Podyktował mowę do swych poddanych, kazał zaprowadzić szewca na główny plac miasteczka i postawić go przed wszystkimi mieszkańcami.

– Jak mogliście uwierzyć temu kłamcy, który sprzedawał wam zwykły wywar, mówiąc, że to prawdziwe lekarstwo?

## 17 Odrzucenie przez mieszkańców

Oszukani mieszkańcy miasta odwrócili się od szewca oszusta. Nikt nie chciał więcej z nim rozmawiać ani go oglądać. Szewczyk, który już nigdy więcej nie chciał pracować w swoim starym zawodzie, musiał do niego jednak wrócić. A ponieważ nadal był tak samo niezdarny jak wcześniej, nie miał wielu klientów i na zawsze pozostał biednym szewczykiem.

## Mleczarka

## 18 Droga na targ

Pewnego pięknego, chłodnego lecz niezwykle słonecznego ranka, szła drogą młoda dziewczyna z dzbanem pełnym mleka na głowie. Uśmiechnięta mleczarka lekkim krokiem kierowała się w stronę rynku. Chciała tam sprzedać mleko za dobrą cenę, a za zarobione pieniądze coś kupić. Pogrążona w rozmyślaniach i marzeniach mleczarka szła na targ.

# Grudzień

## 19 Jajka, z których wyklują się kurczaczki

Nie przeszła nawet połowy drogi, daleko miała jeszcze do targu, a już w rozmarzonej i szalonej główce obmyślała i obliczała, ile zarobi na sprzedaży.

– Ja to mam szczęście, los mi sprzyja! Kiedy sprzedam mleko, za zarobione pieniądze kupię na rynku koszyk pełen jajek. Wykluje się z nich sto kurczaczków, które będę karmić najlepszymi ziarnami i będę na nie chuchać i dmuchać, by na wiosnę urosły zdrowe i silne...

## 20 A potem mały prosiaczek

Wesoła i pełna dobrych myśli marzyła i marzyła, puszczając wodze fantazji:

– A potem kupię sobie prosiaczka, którego tak utuczę, że brzuszek ciągnąć będzie po ziemi. Później, z pieniędzy, które dostanę za jego sprzedaż, kupię łaciatą krowę i małego cielaczka. Będę z nimi wychodzić na łąki i pastwiska, by mogły się tam paść świeżą trawą.

## 21 Potknięcie i upadek

Niezmiernie zadowolona
i szczęśliwa mleczarka
podskoczyła zbyt wysoko,
potknęła się o kamień
i upadła. Z wypełnionej
marzeniami o zwierzętach
i pieniądzach główki spadł
dzbanek, a drogocenne
mleko rozlało się na drodze.

## 22 Rozbity dzbanek

Biedna mleczarka. Żegnaj mleko, pieniądze, jajka, kurczaczki, prosiaku,
krówko i cielaczku. Wszystko zniknęło
w ułamku sekundy. Nie tylko dzbanek,
ale również mleko i wszystkie nadzieje,
jakie pokładała w nim mleczarka.

Pozostało jedynie rozlane na drodze
mleko. Tak niespodziewanie zniknęły,
rozwiały się marzenia.

Mleczarka powinna była bardziej
uważać na swoje mleko!

# Grudzień

## 23 Rozwiane nadzieje

Jej smutne i załzawione oczy widziały już tylko poplamione, mokre ubranie i rozlany dookoła cenny napój, w którym pokładała tyle nadziei.
– Jakaż ja jestem nieszczęśliwa, prześladuje mnie straszny pech! Tyle chciałam, a zostałam z pustymi rękami – gorzko się żaliła.

## Piękna panienka i jej lusterko

### 24 Śliczna młoda dziewczyna

W pewnym małym miasteczku mieszkała śliczna dziewczyna.

Jej długie, złote włosy, piękne niebieskie oczy, jej słodkie i powłóczyste spojrzenie i cudowny uśmiech cieszyły każdego, kto ją spotkał. Dziewczyna wiedziała o swojej urodzie i dlatego bardzo lubiła przeglądać się w lustrze. A miała w nim bardzo wyjątkowego doradcę. Mówiące lusterko było jej uroczym przyjacielem.

## 25 Pomocne lusterko

Piękna dziewczyna o talii osy i smukłym ciele przyciągała spojrzenia wszyst-kich kawalerów w okolicy. Gdy była w domu, nie rozstawała się ze swoim mówiącym lusterkiem, które umilało jej czas długimi, zabawnymi rozmowa-mi. Każdego dnia, śliczna dziewczyna pytała swojego przyjaciela o zdanie, w co powinna się ubrać, by wy-glądać jeszcze ładniej. Konsul-towała się z nim nie tylko w sprawie sukienek, ale również w kwestii fryzu-ry, pytała jaką wstąż-kę powinna wpleść we włosy, który kapelusz i jakie buty wybrać.

# Grudzień

## 26 Kufer pełen sukienek

Rzeczywiście wybór nie był prosty, w swojej wielkiej skrzyni przechowywała mnóstwo sukien i sukienek, tysiące broszek, setki kapeluszy i wiele innych ozdóbek podkreślających jej niezwykłą urodę. Była prawdziwą kokietką i nie przestawała kupować nowych rzeczy, w które mogłyby się wystroić.

## 27 Cierpliwość lusterka

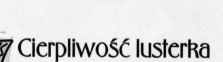

Podekscytowana i bardzo zadowolona grzebała w kuferku, wyciągając z niego coraz to inne sukienki i pytając się lusterka:

– Która sukienka bardziej ci się podoba – ta czy tamta? Myślisz, że pasuje do tamtych butów? A kapelusik? Który z nich ładniej komponuje się z resztą?

Lusterko wysłuchiwało cierpliwie i z chęcią odpowiadało na wszystkie pytania. Znało ją już od wielu lat i wiedziało, jak sprawić radość i jak dopomóc w podjęciu decyzji.

## 28 Mały pryszcz na nosie

Nadszedł jednak smutny dzień, w którym piękna panienka straciła swój urok. Jej dotychczas zaróżowione policzki zbladły, a na czubku zadartego noska pojawił się bardzo brzydki pryszcz.

## 29 Szczerość lusterka

Lusterko, nie chcąc jej okłamywać, tak rzekło:
– Zawsze byłem na twoje usługi, słodka
dziewczynko, spełniałem twoje
zachcianki, dogadzałem, wysłuchiwałem,
lecz teraz muszę powiedzieć ci prawdę.
Twoja niegdyś śliczna twarzyczka straciła
swój dawny urok i czar. Nie martw się tym
jednak, prawdziwe piękno jest bowiem
ukryte w twoim wnętrzu, twój wygląd nie
powinien cię przestraszyć.
Młoda dziewczyna zaskoczona tymi
słowami, zaniepokojona zbliżyła się do przyjaciela,
żeby przejrzeć się w lusterku.

# Grudzień

## 30 Wściekłość dziewczynki

Biedna, smutna dziewczynka poczuła się tak ośmieszona, że cały swój gniew niesłusznie skierowała na wiernego przyjaciela. Wściekła, krzycząc i narzekając, rzuciła na podłogę lusterko, jakby to ono było winne jej nieatrakcyjnego odbicia.

## 31 Koniec przyjaźni

Dziewczyna długo płakała gorzkimi i rzewnymi łzami z powodu utraty urody. Nie mogła zrozumieć, jak to mogło się stać, była przecież jeszcze taka młoda. Nie chciała już więcej patrzeć w lustro, przerażał ją jej nowy wygląd. I właśnie w ten sposób zostawiła na boku kokieterię i nigdy więcej nie chciała już nawet słyszeć o swoim wiernym przyjacielu i doradcy. Sama musiała znaleźć swoje wewnętrzne piękno.

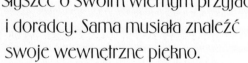

# Spis treści